O CÉREBRO E A INTELIGÊNCIA EMOCIONAL

Daniel Goleman, ph.D.

O CÉREBRO E A INTELIGÊNCIA EMOCIONAL
NOVAS PERSPECTIVAS

Tradução
Carlos Leite da Silva

11ª reimpressão

Copyright © 2011 by Daniel Goleman
Originalmente publicado por More Than Sound

Grafia atualizada segundo o Acordo Ortográfico da Língua Portuguesa de 1990, que entrou em vigor no Brasil em 2009.

Título original
The Brain and Emotional Intelligence: New Insights

Capa
Marcelo Pereira

Revisão
Lilia Zanetti
Fatima Fadel

CIP-Brasil. Catalogação na fonte
Sindicato Nacional dos Editores de Livros, RJ

G58c
    Goleman, Daniel
        O cérebro e a inteligência emocional: novas perspectivas / Daniel Goleman; tradução Carlos Leite da Silva. – 1ª ed.– Rio de Janeiro: Objetiva, 2012.

        Tradução de: The Brain and Emotional Intelligence: New Insights.

        ISBN 978-85-390-0398-3

        1. Inteligência emocional. 2. Emoções e cognição. 3. Cérebro. 4. Criatividade. 5. Liderança. I. Título.

12-4959
                                CDD: 153.9
                                CDU: 159.95

Todos os direitos desta edição reservados à
EDITORA SCHWARCZ S.A.
Praça Floriano, 19, sala 3001 — Cinelândia
20031-050 — Rio de Janeiro — RJ
Telefone: (21) 3993-7510
www.companhiadasletras.com.br
www.blogdacompanhia.com.br
facebook.com/editoraobjetiva
instagram.com/editora_objetiva
twitter.com/edobjetiva

Sumário

Introdução	7
A inteligência emocional é um conjunto distinto de capacidades?	11
Autoconsciência	19
O estado cerebral certo para a função	25
O cérebro criativo	29
Autodomínio	37
Controlar o estresse	45
Motivação: o que nos emociona	53
Desempenho ótimo	61
O cérebro social	75

O cérebro social on-line 83

As variedades da empatia 87

Diferenças de gênero 91

O lado obscuro 95

Desenvolvendo a inteligência emocional 97

Aprendizagem emocional social 103

Notas 109

Introdução

Em 1995, logo antes de meu livro *Inteligência emocional* ser publicado, me lembro de ter pensado que eu teria sido bem-sucedido se algum dia eu escutasse dois desconhecidos conversando e um deles usasse o termo "inteligência emocional" — e o outro soubesse do que ele estava falando. Isso iria assinalar que o conceito de inteligência emocional, ou IE (o termo que prefiro em vez do popularizado "QE — Quociente Emocional"), havia se tornado um meme, uma nova ideia que entrara na cultura. Hoje, a IE excedeu de longe aquelas expectativas, comprovando ser um poderoso modelo para a educação na forma de aprendizado social/emocional, e é reconhecido como um ingrediente fundamental de liderança destacada, assim como um agente ativo numa vida plena.

Introdução

Quando escrevi *Inteligência emocional* eu estava colhendo o fruto de uma década de uma então inovadora pesquisa sobre o cérebro e as emoções. Usei o conceito de inteligência emocional como uma estrutura para realçar um campo novo: a neurociência afetiva. Minha pesquisa sobre o cérebro e nossas vidas emocionais e sociais não parou quando terminei de escrever o livro; na verdade, nos últimos anos ela se acelerou. Incluí atualizações sobre essa pesquisa em meus livros *Inteligência social* e *O poder da inteligência emocional*, bem como numa série de artigos na *Harvard Business Review*.

Neste livro quero continuar essas atualizações, partilhando com você algumas descobertas essenciais que acrescentam informação ao que entendemos como inteligência emocional e como aplicar esse conjunto de capacidades. Esta não é uma resenha exaustiva e técnica de dados científicos — esta é uma obra em progresso focada em descobertas contestáveis, sobre novas ideias que você pode utilizar.

Irei falar sobre os seguintes tópicos:

- A Grande Pergunta sendo feita, particularmente em círculos acadêmicos: "Existe uma tal entidade como 'inteligência emocional' que difere do QI?"
- O radar ético do cérebro
- A dinâmica neural da criatividade
- O circuito cerebral para o ânimo, a persistência e a motivação
- Os estados cerebrais subjacentes ao desempenho ótimo, e como intensificá-los

- O cérebro social: empatia, ressonância e química interpessoal
- Cérebro 2.0: nosso cérebro na internet
- As variedades da empatia e principais diferenças de gênero
- O lado obscuro: a sociopatia em funcionamento
- Lições neuronais para coaching e para intensificar capacidades de inteligência emocional

Estrutura da Inteligência Emocional

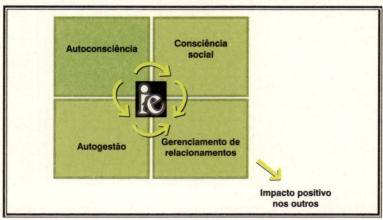

Inteligência Emocional — Modelo de Goleman
A maioria dos elementos de todo modelo de inteligência emocional cabe dentro destes quatro domínios genéricos: autoconsciência, autogestão, consciência social e gerenciamento de relacionamentos.

Há três modelos dominantes de inteligência emocional, cada um associado com seu próprio conjunto de testes e medidas. Um vem de Peter Salovey e John Mayer, que primeiro propuseram o conceito de inteligência emocional em seu artigo original de 1990.[1] Outro é aquele de Reuven Bar-On, que tem estado bastante ativo promovendo pesquisa nessa área.[2]

O terceiro é meu próprio modelo, o qual desenvolvi mais integralmente em *O poder da inteligência emocional* (o livro que escrevi com meus colegas Annie McKee e Richard Boyatzis). Há vários outros modelos de IE agora, com mais incidência na área laboral — um sinal da efervescência do campo.[3]

A inteligência emocional é um conjunto distinto de capacidades?

Esta é a primeira grande questão: a inteligência emocional é diferente do QI?

Foi em meu primeiro ano de faculdade que pela primeira vez tive um pressentimento de que talvez o QI por si só não explicasse todo o sucesso em uma carreira. Havia um cara ao fundo do corredor, no dormitório, que teve notas perfeitas, no SAT,* além de notas perfeitas em cinco testes Advanced Placement (AP). De um ponto de vista acadêmico, ele era brilhante. Mas tinha um problema: motivação zero. Nunca ia às aulas, dormia até o meio-dia, nunca terminava os trabalhos. Demorou oito

---

* *Scholastic Aptitude Test* — Teste de Aptidão Escolar, exigido para admissão em universidades americanas. (N. da E.)

A INTELIGÊNCIA EMOCIONAL É UM CONJUNTO DISTINTO DE CAPACIDADES?

anos para terminar a graduação e atualmente é um consultor independente. Não é um executor notável, não é o chefe de uma grande organização, não é um líder destacado. Vejo agora que lhe faltavam algumas capacidades cruciais de inteligência emocional, particularmente autodomínio.

Howard Gardner, um amigo dos tempos de pós-graduação, abriu o debate sobre diferentes tipos de inteligência que não o QI, quando escreveu sobre inteligências múltiplas nos anos 1980.[4] O argumento de Howard foi que para uma inteligência ser reconhecida como um conjunto distinto de capacidades tem de haver um conjunto singular de áreas cerebrais subjacentes que governem e regulem essa inteligência.

Hoje em dia, pesquisadores do cérebro identificaram circuitos distintos para a inteligência emocional, num estudo de referência feito por outro velho amigo meu, Reuven Bar-On (por uma coincidência inesperada, sua mãe foi minha professora na quarta série da escola dominical). Bar-On trabalhou com um de meus atualmente notáveis grupos de pesquisa cerebral, encabeçado por António Damásio, na escola de medicina da Universidade de Iowa.[5] Eles usaram o método padrão-ouro em neuropsicologia para identificar as áreas cerebrais associadas a comportamentos e funções mentais específicos: estudos de lesões. Ou seja, estudaram pacientes que têm danos cerebrais em áreas claramente definidas, correlacionando o local do dano com as resultantes capacidades específicas diminuídas ou perdidas no paciente. Com base nesta metodologia testada e comprovada em neurologia, Bar-On e seus associados identificaram várias áreas cerebrais cruciais para as capacidades de inteligência emocional e social.

O estudo Bar-On é uma das provas mais convincentes de que a inteligência emocional reside em áreas cerebrais distintas das do QI. Outras descobertas usando métodos diferentes sustentam a mesma conclusão.[6] Tomados em conjunto, estes dados nos dizem que há centros cerebrais únicos que governam a inteligência emocional, o que distingue este conjunto de capacidades humanas da inteligência acadêmica (ou seja, verbal, matemática e espacial) — ou QI, como são conhecidas estas capacidades puramente cognitivas — assim como dos traços de personalidade.

QI versus IE
A base cerebral da Inteligência Emocional:
a partir de neuroimagem e estudos de lesões

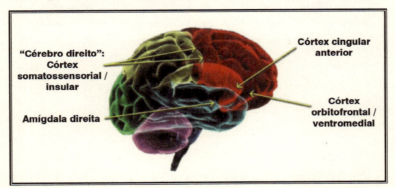

A INTELIGÊNCIA EMOCIONAL É UM CONJUNTO DISTINTO DE CAPACIDADES?

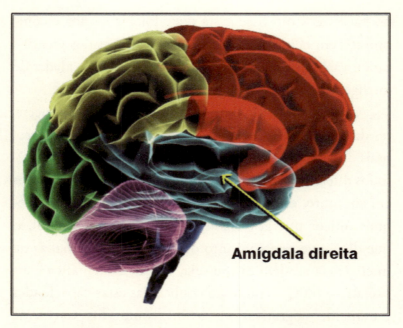

A amígdala direita (temos duas, uma em cada hemisfério cerebral) é um centro neuronal para a emoção localizado no mesencéfalo. No livro Inteligência emocional escrevi sobre a pesquisa de Joseph LeDoux, que foi um marco sobre o papel da amígdala em nossas reações emocionais e memórias.
Pacientes com lesões ou outros danos na amígdala direita, como descobriu o estudo de Bar-On, demonstraram uma perda de autoconsciência emocional — a capacidade de estarmos conscientes de nossos próprios sentimentos e entendê-los.

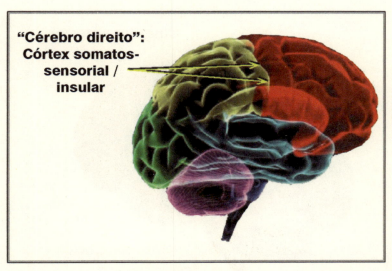

Outra área crucial para a inteligência emocional também está no lado direito do cérebro. É o córtex somatossensorial direito; o dano aqui também cria uma deficiência na autoconsciência, assim como na empatia — a consciência das emoções nas outras pessoas. A capacidade de entender e sentir nossas próprias emoções é crítica para o entendimento e a empatia com as emoções dos outros. Empatia também depende de outra estrutura no hemisfério direito, o córtex insular, um nodo para o circuito cerebral que nos dá a sensação do estado de todo o nosso corpo e nos diz como estamos nos sentindo. Sintonizarmo-nos com como estamos nos sentindo desempenha um papel central em como sentimos e entendemos o que qualquer outra pessoa está sentindo.

A INTELIGÊNCIA EMOCIONAL É UM CONJUNTO DISTINTO DE CAPACIDADES?

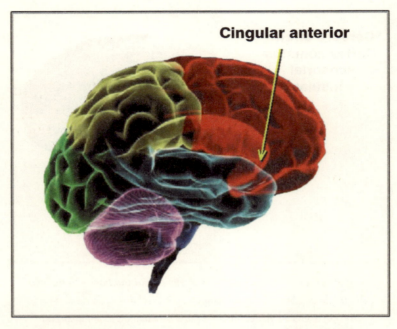

Outra área crítica é a cingular anterior, localizada à frente de uma faixa de fibras cerebrais que rodeia o corpo caloso, o qual une as duas metades do cérebro. A cingular anterior é uma área que gerencia o controle dos impulsos, a capacidade de lidar com nossas emoções, particularmente emoções aflitivas e sentimentos fortes.

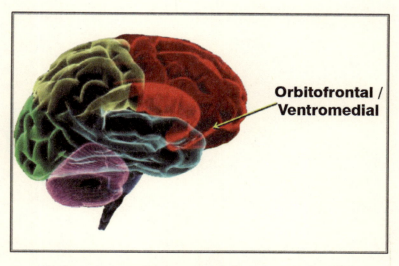

Finalmente, existe a faixa ventromedial no córtex pré-frontal. O córtex pré-frontal está exatamente atrás da testa e é a última parte do cérebro a crescer na totalidade. Este é o centro executivo do cérebro; aqui residem as capacidades de resolver problemas pessoais e interpessoais, de controlar nossos impulsos, de expressar nossos sentimentos com eficácia e de nos relacionarmos bem com os outros.

Autoconsciência

Novas descobertas sugerem como regiões do cérebro envolvidas na autoconsciência nos ajudam com a ética e a tomada de decisões em geral. A chave para entender essa dinâmica neural é distinguir entre o cérebro pensante (neocórtex) e as áreas subcorticais.

António Damásio (o neurocientista em cujo laboratório foi feito o trabalho de Bar-On sobre os fundamentos do cérebro da IE) escreveu sobre um caso neurológico muito revelador. Havia um brilhante advogado que, desafortunadamente, teve um tumor cerebral. Felizmente, o tumor foi diagnosticado cedo e operado com sucesso. Mas durante a operação o cirurgião teve de cortar circuitos que conectam áreas essenciais do córtex pré-frontal, o centro executivo do cérebro, e a amígdala na zona do mesencéfalo responsável pelas emoções.

Funções corticais e subcorticais

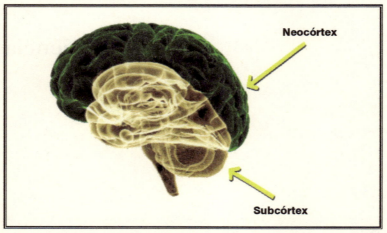

O neocórtex — as áreas onduladas em verde — contém centros para cognição e outras operações mentais complexas. As áreas subcorticais, mostradas aqui em dourado, são onde ocorrem processos mentais mais básicos. Logo abaixo do cérebro pensante, e se projetando para o córtex, está o sistema límbico, a principal área do cérebro para a emoção. Essas áreas também são encontradas nos cérebros de outros mamíferos. As partes mais antigas do subcórtex estendem-se abaixo, até o tronco encefálico, conhecido como o "cérebro reptiliano" porque partilhamos desta arquitetura básica com os répteis.

Após a cirurgia, havia um cenário clínico muito desconcertante. Em todos os testes de QI, memória e atenção, este advogado era absolutamente tão inteligente quanto fora antes da cirurgia. Mas não conseguia mais fazer seu trabalho. Ficou desempregado. Não conseguia se manter em emprego algum. Seu casamento se desfez. Perdeu a casa. Acabou morando no quarto de hóspedes de seu irmão e, em desespero, procurou Damásio para descobrir o que estava errado.

A princípio, Damásio ficou completamente perplexo, pois em todos os testes neurológicos o advogado estava bem. Mas a chave do mistério apareceu quando Damásio perguntou ao advogado: "Para quando vamos agendar nosso próximo encontro?"

Foi então que Damásio percebeu que o advogado conseguia dar-lhe os prós e contras racionais de cada hora pelas duas semanas seguintes — mas ele não sabia quais eram os melhores. Damásio diz que para tomar uma boa decisão, temos de ter sentimentos sobre os nossos pensamentos — e aquela lesão criada durante a cirurgia para a retirada do tumor significava que o advogado não conseguia mais conectar seus pensamentos aos prós e contras emocionais.

Tais sentimentos vêm dos centros emocionais no mesencéfalo, interagindo com uma área específica no córtex pré-frontal.[7] Quando temos um pensamento ele é imediatamente avaliado por estes centros cerebrais, positivos ou negativos. É isso que nos ajuda a organizar nossos pensamentos em prioridades — como sobre quando seria o melhor momento para agendar um encontro. Na falta desse input, não sabemos o que sentir quanto aos nossos pensamentos, portanto não conseguimos tomar boas decisões. O circuito cortical-subcortical também oferece uma diretriz ética. Abaixo no cérebro, por baixo das áreas límbicas, há uma rede neural chamada gânglios da base. Esta é uma parte do cérebro muito primitiva, mas faz algo extraordinariamente importante para a navegação no mundo moderno.

Conforme atravessamos cada situação da vida, os gânglios da base extraem regras de decisão: quando fiz isso, funcionou bem; quando disse aquilo, fracassou; e assim por diante. Nossa sabedoria de vida acumulada está armazenada nesse circuito primitivo. No entanto, quando enfrentamos uma decisão, é nosso córtex verbal que gera nossos pensamentos sobre ela. Mas, para acessarmos mais plenamente nossa experiência de vida no assunto em questão, precisamos acessar inputs adicionais de algum circuito subcortical. Embora os gânglios de base tenham alguma ligação direta com as áreas verbais, também têm conexões muito ricas com o trato gastrointestinal — as vísceras. Portanto, ao tomar uma decisão, um senso visceral de ela ser certa ou errada também é uma informação importante.[8] Não que você deva ignorar outros dados, mas se a coisa não se ajusta ao que você está sentindo, talvez seja melhor pensar duas vezes.

A regra do polegar parecia estar em ação num estudo de empresários californianos altamente bem-sucedidos a quem foi perguntado como tomavam decisões cruciais nos negócios. Todos reportaram mais ou menos a mesma estratégia. Primeiro, eram consumidores vorazes de quaisquer dados ou informações que pudessem sustentar sua decisão, ampliando seu ponto de vista. Mas, segundo, todos testavam sua decisão racional com a sensação interna — se um negócio não lhes trouxesse uma boa sensação poderiam não avançar, mesmo que tivesse bom aspecto no papel. A resposta à pergunta "o que estou prestes a fazer serve a meu sentido de propósito, significado ou ética?" não nos vem em palavras; nos vem pela via desse sentido visceral. Só depois a expressamos em palavras.

O estado cerebral certo para a função

O autodomínio requer autoconsciência mais autorregulação, componentes essenciais da inteligência emocional. Um dos valores do autodomínio é estar no estado do cérebro direito para desempenhar a função.[9]

No que diz respeito à eficácia pessoal, temos de estar no melhor estado interior para a tarefa em questão, e todo estado interior tem suas vantagens e desvantagens. Por exemplo, pesquisas mostram que as vantagens de se estar de bom humor são de que somos mais criativos, melhores na resolução de problemas, temos melhor flexibilidade mental e podemos ser mais eficientes na tomada de decisões de muitas maneiras.

As negativas, contudo, incluem uma tendência a ser menos discriminativo na distinção entre argumentos frágeis e sólidos, ou a tomar decisões muito apressadamente, ou a prestar muito pouca atenção aos detalhes em uma tarefa que a exige.

Por outro lado, há algumas vantagens em se estar de mau humor — ou pelo menos mais sombrio. Estas incluem uma maior capacidade para prestar atenção ao detalhe, mesmo em tarefas entediantes — o que sugere que é preferível ficar sério antes de ler um contrato. De humor ruim somos mais céticos, portanto, por exemplo, é menos provável que simplesmente nos apoiemos nas opiniões de peritos, fazemos perguntas em busca de respostas e chegamos às nossas próprias conclusões. Uma teoria sobre a utilidade da raiva é que ela mobiliza energia e concentra nossa atenção em remover obstáculos que impedem a conquista de um objetivo — o que pode nutrir, digamos, um impulso para derrotar na próxima oportunidade um concorrente que acabou de ter uma vitória sobre nós (independentemente de o concorrente ser um time escolar ou outra empresa).

O principal ponto negativo de se estar de mau humor, claro, é ser desagradável para nós e para quem está ao nosso lado. Mas há custos mais sutis: no nível cognitivo, somos mais pessimistas e, portanto, mais predispostos a desistir mais rapidamente quando as coisas dão errado do que se estivéssemos num estado otimista. O mau humor nos dá uma perspectiva negativa em relação ao que estamos considerando e assim colocamos uma distorção negativa aos nossos julgamentos. E por sermos menos agradáveis com os que nos rodeiam, podemos perturbar a harmonia de uma equipe — um membro mal-humorado de uma equipe pode reduzir a eficácia para todos.

Então, há o que talvez seja um exemplo característico surpreendente para o estado certo do cérebro para o desempenho da tarefa: criatividade.

O cérebro criativo

"Cérebro direito é bom; cérebro esquerdo é ruim." Essa crença sobre a criatividade e os hemisférios direito e esquerdo do cérebro data dos anos 1970 e reflete uma parte muito desatualizada de neuromitologia. O novo entendimento sobre os hemisférios esquerdo e direito é mais específico à topografia do cérebro: no que diz respeito a esquerdo versus direito, você está se referindo ao anterior esquerdo, médio esquerdo ou posterior esquerdo?

Atualmente, entendemos que no que diz respeito à criatividade não é simplesmente esquerdo-direito, também é acima-abaixo — é o cérebro inteiro. Aqui, é importante compreender uma diferença estrutural entre o hemisfério direito e o hemisfério esquerdo.

O hemisfério direito tem mais conexões neurais, tanto nele mesmo quanto por todo o cérebro. Tem fortes ligações com centros emocionais como a amígdala e as regiões subcorticais por todas as partes inferiores do cérebro.

Criatividade e inovação

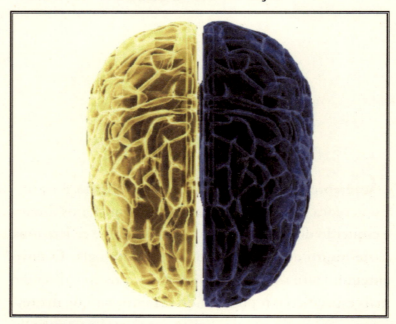

O hemisfério direito tem ramificações mais longas que fazem mais conexões com outras partes do cérebro do que o lado esquerdo; durante um lampejo de criatividade surge um novo circuito de conectividade.

O lado esquerdo, de longe, tem bem menos conexões nele mesmo e além dele com o resto do cérebro. O hemisfério esquerdo é feito de colunas verticais empilhadas de forma organizada, o que permite a clara diferenciação de funções mentais separadas, mas menor integração dessas funções. Por comparação, o hemisfério direito é estruturalmente mais amalgamado.

O cérebro criativo não é apenas o cérebro direito: ele envolve o cérebro inteiro, esquerdo-direito-acima-abaixo, conforme o estado do cérebro criativo acessa uma extensa rede de conexões.

Vamos ver como isso se delineia através do pensamento dominante sobre criatividade. Talvez você já tenha ouvido falar de um modelo clássico dos quatro estágios de criatividade (tem mais de um século de idade).

Primeiro passo: você define e enquadra o problema. Muita gente diz que um dos sinais dos gênios numa área é a capacidade de ver problemas e desafios e fazer perguntas que mais ninguém vê ou faz. Portanto, primeiro descubra e enquadre o desafio criativo.

Segundo: mergulhe, cave fundo. Reúna ideias, dados, informações, qualquer coisa que vá ajudá-lo com uma descoberta criativa.

A terceira fase, para algumas pessoas, é um pouco contraintuitiva: se solte. Simplesmente relaxe. As melhores ideias surgem enquanto você está tomando um longo banho de chuveiro, fazendo uma caminhada ou de férias.[10] Aqui, o autodomínio vem em saber quando relaxar e em saber que você precisa relaxar.

O último estágio, o quarto, é a execução — e, claro, muitas ideias brilhantes dão errado aqui, porque não são bem implementadas.

Este modelo é rigoroso até certo ponto — mas a vida não é tão simples assim. Descobri que as pessoas cujas profissões exigem um fluxo de insights criativos têm um relacionamento mais complicado com a criatividade do que o sugerido por um modelo organizado de quatro estágios. George Lucas, por exemplo, diz que, quando tem de escrever ou revisar um roteiro, ele vai para um chalé atrás de sua casa e apenas escreve. Será que simplesmente se deixa entrar num devaneio e fica olhando o que chega até ele? "Não", diz ele, "tenho de me manter trabalhando o tempo todo". É assim que um gênio criativo trabalha (mas suspeito que ele tenha circuitos criativos singularmente fluentes).

O segundo gênio criativo com quem falei sobre isso foi o compositor Phil Glass, um dos compositores contemporâneos mais famosos do mundo. Perguntei-lhe: "Quando você tem suas ideias criativas?" Sua resposta me surpreendeu. Ele disse: "Sei exatamente quando elas vão surgir: entre as 11 horas da manhã e as três da tarde. É quando trabalho nas minhas composições novas."

Mais comum, no entanto, pode ser uma terceira pessoa criativa com quem conversei: Adrienne Weiss, uma mulher que trabalha na criação e reformulação de marcas. Ela foi encarregada de ajudar a renomear a marca Baskin-Robbins, uma cadeia global de lojas de sorvetes, incluindo a criação de um novo logotipo. Ela se perguntou: "Bem, o que temos aqui? A Baskin-Robbins é famosa por seus 31 sabores. Como vamos transformar isso em algo novo e inconfundível?"

Pensar sobre isso levou-a a simplesmente lugar nenhum. Então, uma noite, enquanto dormia, acordou no meio de um sonho em que viu o nome "Baskin-Robbins". Destacado nas curvas do "B" de Baskin estava um "3", e na perna do "R" estava um "1". Isso era "31", o número de seus sabores. Se você olhar para o novo logotipo da Baskin-Robbins verá que o 31 se destaca do B e do R. E isso lhe veio em sonho.

Estudos cerebrais sobre criatividade revelam o que acontece nesse momento "aha!", quando temos uma ideia repentina. Se você medir as ondas de um eletroencefalograma durante um momento criativo, há atividade gama muito elevada que surge trezentos milissegundos antes de a resposta chegar a nós. A atividade gama indica a ligação entre neurônios, enquanto extensas células cerebrais se conectam em uma nova rede neuronal — assim que uma nova associação emerge. Imediatamente após esse pico gama, a nova ideia penetra nossa consciência.

Esta atividade intensificada concentra-se na área temporal, um centro na lateral do neocórtex direito. Essa é a mesma área do cérebro que interpreta metáforas e "entende" as piadas. Ela entende a linguagem do inconsciente, o que Freud chamava de "processo primário": a linguagem dos poemas, da arte, dos mitos. É a lógica dos sonhos, no qual tudo acontece e o impossível é possível.

Esse pico gama elevado assinala que o cérebro teve um novo insight. Nesse momento, as células do hemisfério direito estão usando estas ramificações e conexões mais longas para outras partes do cérebro. Elas coligiram mais informações e as juntaram numa organização inédita.

Qual é a melhor maneira de mobilizar esta capacidade do cérebro? Primeiro, se concentrar intencionalmente no objetivo ou problema, e depois relaxar para o terceiro estágio: se soltar.

A proposição inversa de se soltar — tentar forçar um insight — pode inadvertidamente sufocar o lampejo criativo. Se você está pensando e repensando sobre isso, talvez apenas fique mais tenso e não lhe ocorram novas maneiras de ver as coisas, muito menos um insight verdadeiramente criativo.

Portanto, para passar para o estágio seguinte, simplesmente relaxe. Diferente do foco intenso de brigar com um problema de frente, o terceiro estágio é caracterizado por um elevado ritmo alfa, que assinala relaxamento mental, um estado de abertura, de devaneio e flutuação, em que estamos mais receptivos a novas ideias. Isso prepara o cenário para as conexões inéditas que ocorrem durante o pico gama.

Esses momentos de insights criativos espontâneos e inesperados parecem vir de lugar nenhum. Mas podemos partir do pressuposto que ocorreu o mesmo processo, no qual houve algum grau de envolvimento num problema criativo, e depois, durante o "tempo ocioso", os circuitos neurais fazem associações e conexões inéditas. Mesmo quando os insights criativos parecem surgir por si só, o cérebro pode estar atravessando os mesmos processos que durante os três estágios clássicos.

Por outro lado, eu imaginaria que os três ou quatro estágios clássicos da criatividade são algo como uma ficção útil — o espírito criativo é mais desenvolto que isso. Acho que a principal ação neural está entre o foco intenso sobre o problema e depois relaxar em relação a isso.

E quando essa ideia criativa aparece, é quase certo que o cérebro passou por esse mesmo pico elevado de atividade gama que foi encontrado no laboratório.

Haverá uma maneira de criar condições pelas quais seja mais provável ocorrer o pico gama? Os picos gama normalmente surgem aleatoriamente — não podem ser forçados. Mas o cenário mental pode ser preparado. O pré-trabalho para o pico gama inclui definir o problema, depois mergulhar nele. E depois você se solta — e é durante o período em que você relaxa que é mais provável ocorrer esse pico gama, junto com esse momento "aha!", a lâmpada por cima da cabeça de um personagem de gibi. Há um traço físico que às vezes sentimos durante um pico gama: prazer. Com o momento "aha!" vem alegria.

Depois há aquele quarto estágio, a implementação, no qual uma boa ideia se afundará ou nadará. Lembro-me de conversar com o diretor de um enorme laboratório de pesquisa. Tinha cerca de 4 mil cientistas e engenheiros trabalhando para ele. Ele me disse: "Temos uma regra quanto ao insight criativo: se alguém oferece uma ideia inédita, em vez de a próxima pessoa a falar abatê-la

— o que acontece frequentemente na vida organizacional —, a pessoa seguinte que falar tem de ser uma 'advogada dos anjos', alguém que vai dizer: 'essa é uma boa ideia e eis por quê'." As ideias criativas são como um frágil botão de flor — têm de ser nutridas para que possam florescer.

Autodomínio

Os dois quadrantes canhotos no modelo genérico da inteligência emocional dizem respeito ao eu: autoconsciência e autogestão.

Estas são as bases do autodomínio: consciência de nossos estados interiores e gestão desses estados. Estes domínios de habilidade são os elementos que fazem de alguém um executante individual extraordinário em qualquer área de desempenho — e nos negócios, um contribuinte individual notável, ou estrela solitária.

Competências como gerenciamento de emoções, motivação concentrada para atingir metas, adaptabilidade e iniciativa são baseadas na autogestão emocional.

A área neural essencial para a autorregulação é o córtex pré-frontal, que é, num sentido, o "bom patrão" do cérebro, nos orientando no melhor de nós. A zona dorsolateral da área pré-frontal é o lugar do controle cognitivo, regulando a atenção, a tomada de decisões, a ação voluntária, o raciocínio e a flexibilidade na resposta.

Autodomínio

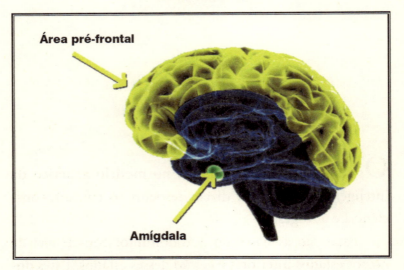

A autorregulação da emoção e dos impulsos depende grandemente da interação entre o córtex pré-frontal — o centro executivo do cérebro — e os centros emocionais no mesencéfalo, particularmente o circuito que converge para a amígdala.

A amígdala é um ponto de disparo da angústia, da raiva, do impulso, do medo e assim por diante. Quando esse circuito assume o comando, passa a atuar como o "mau patrão", nos levando a empreender ações de que podemos nos arrepender depois.

A interação entre estas duas áreas neurais cria uma rodovia neuronal que, quando em equilíbrio, é a base para o autodomínio. Geralmente, não podemos determinar quais emoções vamos sentir, quando vamos senti-las, nem quão fortemente as sentiremos. Elas vêm espontaneamente da amígdala e de outras áreas subcorticais. Nosso ponto de escolha vem assim que sentimos de uma determinada maneira. O que fazemos então? Como a expressamos? Se seu córtex pré-frontal tem seus circuitos inibitórios a todo o vapor, você será capaz de ter um ponto de decisão que o tornará mais hábil na orientação de como reagir, e, por sua vez, de como você incita as emoções das outras pessoas, para melhor ou pior, nessa situação. No nível neural, é esse o significado de "autorregulação".

A amígdala é o radar do cérebro para ameaças. Nosso cérebro foi projetado como uma ferramenta de sobrevivência. Na planta do cérebro a amígdala detém uma posição privilegiada. Se ela detecta uma ameaça, num instante consegue dominar o resto do cérebro — particularmente o córtex pré-frontal — e temos o que é chamado de sequestro da amígdala.

O sequestro captura nossa atenção, projetando-a sobre a ameaça em curso. Se você estiver no trabalho quando for sequestrado pela amígdala, não vai conseguir se concentrar no que seu trabalho exige — só vai conseguir pensar sobre o que o está perturbando. Nossa memória também se esquiva, de maneira que nos lembramos mais prontamente do que é relevante em relação à ameaça — mas não conseguimos nos lembrar tão bem de outras coisas. Durante um sequestro, não conseguimos aprender e dependemos de hábitos memorizados repetidamente, de comportamentos repetidos consecutivamente. Durante um sequestro, não conseguimos inovar nem ser flexíveis.

Eletroencefalogramas de quando alguém está realmente perturbado mostram que a amígdala direita em particular está altamente ativa, junto com o córtex pré-frontal direito. A amígdala aprisionou essa área pré-frontal, acionando-a em termos dos imperativos de lidar com o perigo imediato percebido. Quando este sistema de alarme dispara, obtemos a clássica reação lute-corra-ou-pare, o que de um ponto de vista do cérebro significa que a amígdala acionou o eixo HPA (o eixo hipotálamo-pituitária-adrenal), e o corpo recebe um fluxo de hormônios de estresse, principalmente cortisol e adrenalina.

Há um grande problema com tudo isso: a amígdala muitas vezes comete erros. A razão disso é que embora a amígdala obtenha seus dados no que vemos e ouvimos num único neurônio do olho ou do ouvido — isso é super-rápido no tempo do cérebro —, ela apenas recebe uma pequena fração dos sinais que esses sentidos recebem. A vasta maioria vai para outras partes do cérebro que demoram mais tempo para analisar esses inputs — e obtêm uma leitura mais rigorosa. A amígdala, em contraste, obtém um retrato rudimentar e tem de reagir instantaneamente. Ela frequentemente comete erros, particularmente na vida moderna, em que os "perigos" são simbólicos, não são ameaças físicas. Então reagimos exageradamente de maneiras das quais nos arrependemos mais tarde.

Seguem os cinco principais gatilhos da amígdala no local de trabalho:[11]

— Condescendência e falta de respeito.
— Ser tratado injustamente.
— Sentir-se desconsiderado.
— Sentir que não se é escutado e que não lhe prestam atenção.
— Ficar submetido a metas irrealistas.

Em uma atmosfera econômica de grande incerteza há muito medo flutuando livremente no ar. As pessoas temem por seus empregos, pela segurança financeira de suas famílias, e todos os outros problemas trazidos por uma economia ruim. E a ansiedade se apodera dos trabalhadores que têm de fazer mais por menos. Portanto, em tal clima, há muita gente operando dia após dia no que vem a constituir um sequestro da amígdala crônico e de baixo nível.

Como podemos minimizar os sequestros? Primeiramente, preste atenção. Se você não notar que está no meio de um sequestro da amígdala e continuar sendo arrebatado por ele, não terá chance de voltar ao equilíbrio e ao domínio do pré-frontal esquerdo enquanto não tiver deixado o sequestro seguir seu rumo. É preferível perceber o que está acontecendo e se libertar. Os passos para terminar ou aplicar um curto-circuito num sequestro começam por monitorar o que está ocorrendo em sua mente e em seu cérebro e notar: "estou realmente exagerando", ou "agora estou realmente perturbado", ou "estou começando a ficar perturbado". É muito melhor se você puder perceber sentimentos familiares de que um sequestro está começando — como borboletas no estômago ou quaisquer sinais que possam revelar que você está prestes a ter um surto. Quanto mais no início do ciclo do sequestro você estiver, mais fácil será aplicar o curto-circuito. O melhor é interromper o processo bem no começo de um sequestro iminente.

O que você pode fazer se for apanhado nas garras de um sequestro da amígdala? Primeiro, você precisa realmente perceber que está no meio dele. Sequestros podem durar segundos, minutos, horas, dias ou semanas. Para algumas pessoas pode parecer seu "normal" — pessoas que se habituaram a estar sempre com raiva ou sempre receosas. Isso se desdobra em condições clínicas como distúrbios de ansiedade ou depressão, ou transtorno de estresse pós-traumático, o que é uma lamentável doença da amígdala induzida por uma experiência traumática em que a amígdala muda para um modo pavio curto de sequestro instantâneo e extremo.

Há muitas maneiras de sair de um sequestro se primeiro conseguirmos perceber que fomos apanhados, e se também tivermos a intenção de nos acalmarmos. Uma delas é uma abordagem cognitiva: se convença a sair do sequestro. Pondere consigo mesmo e desafie o que está dizendo a si mesmo durante o sequestro — Este cara não é sempre um filho da mãe. Consigo me lembrar de momentos em que ele de fato foi muito sensato e até gentil, e talvez eu lhe deva dar outra chance.

Ou você pode usar de alguma empatia, e se imaginar na posição dessa pessoa. Isso poderia funcionar nessas ocasiões muito comuns em que o gatilho do sequestro foi algo que alguém nos fez ou disse. Você pode ter um pensamento de empatia: talvez essa pessoa tenha me tratado assim por estar sob enorme pressão.

Além dessas intervenções cognitivas, também há intervenções biológicas. Podemos usar um método como a meditação ou o relaxamento para tranquilizar nosso corpo. Mas uma técnica de relaxamento ou meditação funciona melhor durante o sequestro quando você pratica regularmente, de preferência todos os dias. A não ser que esses métodos tenham se tornado um hábito arraigado da mente, não pode simplesmente invocá-los do nada. Mas um grande hábito de acalmar o corpo com um método no qual tenha experiência pode fazer uma diferença enorme quando você é sequestrado e mais precisa disso.

Controlar o estresse

Uma amiga me contou: "Meu pior momento no trabalho foi logo após uma fusão quando as pessoas estavam desaparecendo todos os dias, com memorandos mentirosos sobre o que acontecera." Ela acrescentou: "Ninguém conseguia se concentrar no trabalho." Nesses dias, o que fora apenas um episódio para ela havia se tornado uma realidade crônica para muitos negócios. Fora os altos e baixos da economia, a vida das organizações está repleta de momentos tóxicos — diretivas impossíveis da sede, pessoas não razoáveis em posições de poder, colegas de trabalho rudes e assim por diante. Então, como podemos controlar um estresse tão constante ou tão completa aflição? Uma estratégia para controlar nossas reações às confusões e perturbações tira vantagem de outra dinâmica entre a área pré-frontal e o circuito da amígdala.

O controlador do estresse

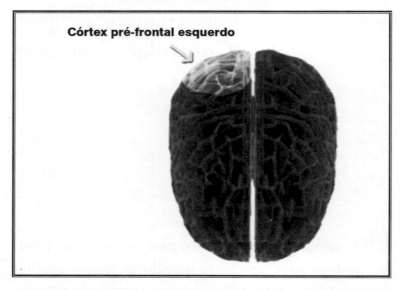

O córtex pré-frontal tem circuitos que podem inibir os impulsos acionados pela amígdala, nos ajudando a manter o equilíbrio emocional. A área pré-frontal esquerda também contém circuitos ativos durante estados positivos como entusiasmo, energia e compromisso.

Richard Davidson, que administra o Laboratório para a Neurociência Afetiva na Universidade de Wisconsin, realizou pesquisas influentes nas áreas pré-frontais esquerda versus direita. Seu grupo de pesquisa descobriu que quando estamos nas garras de um sequestro ou sob a agitação de emoções aflitivas, há níveis de atividade relativamente altos no córtex pré-frontal direito. Mas quando nos sentimos muito bem — entusiasmados, energizados, como se pudéssemos aguentar tudo — a área pré-frontal esquerda se acende.

O grupo Davidson descobriu que cada um de nós tem uma relação esquerda-direita de atividade pré-frontal (mensurada quando estamos somente descansando, não fazendo nada em particular) que prevê com precisão nossa típica variação de humor no dia a dia. Esta relação esquerda-direita avalia nosso set point* emocional.[12] As pessoas que têm mais atividade no esquerdo do que no direito têm mais tendência a usufruir de emoções mais positivas, e maior quantidade de emoções positivas no dia a dia. As que têm mais atividade no direito são propensas a terem emoções mais negativas.

Há uma "curva de sino" para esta relação, como a bem conhecida curva invertida em U para o QI. A maioria de nós está no meio — temos dias bons e ruins. Algumas pessoas estão na extremidade direita — podem ser clinicamente depressivas ou cronicamente ansiosas. Em contraste, aquelas pessoas que estão na extremidade esquerda da curva do sino dão a volta por cima com rapidez extraordinária.

---

* *Set point* poderia ser traduzido por posição básica. Homeostase (ou Homeostasia) é a propriedade de um sistema aberto, especialmente seres vivos, de regular seu ambiente interno para manter uma condição estável, mediante múltiplos ajustes de equilíbrio dinâmico controlados por mecanismos de regulação inter-relacionados. O set point (a posição básica) seria o ponto de equilíbrio específico da pessoa. (N. do T.)

Davidson também pesquisou o que ele chama de "estilos emocionais" — que na realidade são estilos de cérebros. Um estilo de cérebro rastreia com que prontidão ficamos aborrecidos: onde estamos no espectro a partir de uma amígdala de pavio curto — pessoas que facilmente ficam aborrecidas, frustradas ou irritadas — versus pessoas que são inabaláveis.

Um segundo estilo olha para a rapidez com que nos recuperamos de nossa aflição. Algumas pessoas se recuperam rapidamente, enquanto outras são muito lentas. No extremo da lentidão de recuperação estão as pessoas que continuamente ruminam ou se preocupam com as coisas — na verdade, aquelas que sofrem contínuos sequestros da amígdala de baixo escalão. Preocupação crônica mantém a amígdala engatilhada, por isso essas pessoas permanecem num estado de aflição enquanto ruminam.

Considerando os muitos estresses realistas que enfrentamos, esses dois primeiros estilos — ser inabalável e capaz de rápida recuperação — são os mais eficazes para se navegar pelas dificuldades do mundo do trabalho.

O terceiro estilo avalia a profundidade de sentimento de uma pessoa. Algumas pessoas experimentam seus sentimentos com bastante intensidade, outras, bastante superficialmente. Aquelas que têm sentimentos mais intensos talvez sejam mais capazes de comunicá-los mais poderosamente — para emocionar as pessoas.

Há outro elemento de dados sugestivos sobre a relação esquerda-direita. Barbara Fredrickson, da Universidade da

Carolina do Norte, acredita que as pessoas que prosperam na vida — que têm bons relacionamentos, trabalho gratificante, que sentem que sua vida tem significado — têm pelo menos três eventos emocionais positivos para cada negativo.[13] Uma relação positivo-para-negativo similar para emoções também tem sido documentada em equipes de excelência, nas quais é de cinco para um; a relação para a prosperidade parece também funcionar no nível coletivo.

Quando somos arremessados para um sequestro da amígdala, seja de nível intenso ou leve, mas contínuo, estamos numa excitação do sistema nervoso simpático. Como condição crônica, esse não é um estado positivo. Enquanto você está sequestrado, os circuitos de alarme disparam a resposta lute-fuja-ou-pare que bombeia hormônios de estresse para o corpo com uma série de resultados negativos, como baixar a eficácia de nossa resposta imunitária. O estado oposto, ativação do parassimpático, ocorre quando estamos relaxados. Biológica e neurologicamente, esse é o modo de restauração e recuperação, e está associado com a excitação do pré-frontal esquerdo.

Se quiser cultivar maior força de atividade nas áreas pré-frontais esquerdas que geram emoções positivas, você pode experimentar algumas estratégias. Uma delas é descansar regularmente de uma rotina agitada e chata para descansar e se recuperar. Reserve um tempo para "não fazer nada": leve seu cachorro para passear, tome um longo banho de chuveiro, o que quer que lhe permita uma pausa de sua rotina agitada.

Outra é chamada de atenção plena; Daniel Siegel, da UCLA (Universidade da Califórnia, Los Angeles), tem uma elegante análise sobre as áreas do cérebro que isso envolve.[14] Na forma mais popular de atenção plena você cultiva uma presença de equilíbrio suspenso para a sua experiência do momento, uma consciência que não é julgadora nem reativa a quaisquer pensamentos ou sentimentos que surjam na mente. É um método muito eficaz para descomprimir e entrar num estado de relaxamento e equilíbrio.

"Redução do estresse com base na atenção plena", o método que Jon Kabat-Zinn desenvolveu, é amplamente usado em cenários médicos para ajudar pessoas a gerirem sintomas crônicos, porque alivia o sofrimento emocional que normalmente as acompanha, e assim melhora a qualidade de vida dos pacientes.

Richard Davidson fez parceria com Kabat-Zinn, então no Centro Médico da Universidade de Massachusetts, para ajudar pessoas no trabalho a aprenderem a entrar num estado de relaxamento por intermédio da atenção plena.[15] Kabat-Zinn ensinou atenção plena a pessoas trabalhando num cenário de estresse elevado, um empreendimento de biotecnologia recém-criado onde todos estavam num esforço total trabalhando 24 horas por dia, sete dias por semana. Ele ensinou-lhes um programa de oito semanas em que praticavam atenção plena numa média de trinta minutos por dia.

Davidson fez estudos cerebrais antes e depois do programa de atenção plena. Antes, a posição básica emocional da maioria das pessoas estava inclinada para a direita, indicando que estavam perturbadas. Após oito semanas de exercício de atenção plena, elas haviam começado a se inclinar para a esquerda. E seus próprios relatos deixavam claro que com este deslocamento para a zona mais positiva das emoções seu entusiasmo, energia e alegria no trabalho vieram à tona.

Atenção plena parece uma boa escolha para fortalecer o predomínio de zonas críticas no córtex pré-frontal. Davidson me diz — que notícia boa — que o maior estímulo da atenção plena para deslocar a posição básica emocional do cérebro acontece no começo da prática. Você não precisa esperar anos para sentir as melhoras — embora você provavelmente precise continuar a praticar diariamente para manter o deslocamento.

Junto com essa mudança na direção de uma variação de humor mais positiva vem outra ferramenta neural para controlar o estresse: um tempo de recuperação mais rápido.

Tradicionalmente, as pessoas acabam sua sessão diária de atenção plena com um período de pensamentos amáveis por outras pessoas — a prática da bondade. Essa geração deliberada de um humor positivo intensifica o "tono do nervo vago", a capacidade do corpo de se mobilizar para enfrentar um desafio e então se recuperar rapidamente. O nervo vago regula o batimento cardíaco e outras funções orgânicas, e desempenha um papel de destaque em acalmar o corpo quando ficamos aflitos. Um melhor tono vagal aumenta nossa capacidade de nos estimular a enfrentar um desafio e depois nos acalmarmos em vez de ficarmos em marcha acelerada.

Ter um bom tônus vagal nos ajuda não somente a nos recuperarmos do estresse, mas também a dormirmos melhor e nos defendermos dos impactos negativos na saúde pelo estresse crônico na vida. A chave para construir um tônus vagal melhor é descobrir um método de que gostemos, e praticá-lo diariamente — como um exercício para o nervo vago. Esses métodos incluem tudo, desde simplesmente nos lembrarmos de contar lentamente até dez quando ficamos irritados com alguém, até o sistemático relaxamento dos músculos e a meditação.

Às vezes, quando falo de meditação — um tópico sobre o qual venho escrevendo há décadas — me perguntam se poderíamos obter os mesmos efeitos com psicofarmacologia.[16] Prefiro usar a mente para intervir nos estados cerebrais; é uma maneira natural de controlar nosso cérebro.

Há muitos tipos de meditação, cada um usando uma estratégia mental diferente: concentração, atenção plena e visualização, entre outras. Cada método de meditação tem impactos específicos em nossos estados mentais. Por exemplo, visualização aciona centros no córtex visual espacial, enquanto a concentração envolve o circuito de atenção no córtex pré-frontal, mas não na área visual. Um novo campo científico, a "neurociência contemplativa", começou a mapear exatamente qual o desempenho da meditação A versus a meditação B no cérebro, quais centros cerebrais ativa e quais podem ser os benefícios específicos.

Motivação: o que nos emociona

A palavra "motivação" partilha sua raiz com "emoção": ambas vêm do latim *motere*, mover. Nossas motivações nos dão nossas metas e o ímpeto de alcançá-las. Qualquer coisa motivadora nos faz sentir bem. Como um cientista me falou: "A maneira como a natureza nos leva a fazer o que ela quer é fazendo disso um prazer."

Nossas motivações ditam onde encontramos nossos prazeres. Mas quando se trata de perseguir essas metas, a vida normalmente apresenta dificuldades. E quando enfrentamos reveses e obstáculos para alcançar as metas para as quais nossas motivações nos atraem, o circuito que converge numa zona no córtex pré-frontal esquerdo toma vida para nos lembrar das boas sensações que teremos assim que atingirmos esse objetivo. Quando as coisas correm mal, isso nos ajuda a aguentar os momentos difíceis.

As pessoas cujo set point se inclina para o lado esquerdo tendem a ser mais positivas em sua perspectiva emocional. Mas, segundo Davidson, elas são suscetíveis a se enfurecer, principalmente quando uma meta valiosa não é alcançada. Então elas ficam frustradas e irritadas — o que é bom, porque mobiliza sua energia e concentra sua atenção em trabalhar para superar os obstáculos e atingir essa meta.

Em contraste, diz Davidson, a ativação do pré-frontal direito atua como o que é chamado de "inibidor do comportamento": as pessoas desistem mais facilmente quando as coisas ficam difíceis. Também são demasiado avessas ao risco — não inteligentemente avessas ao risco, mas exageradamente cuidadosas. Elas têm baixa motivação, são geralmente mais ansiosas e temerosas, e têm vigilância ampliada em relação a ameaças.

A pesquisa de Davidson descobriu que o hemisfério esquerdo se ilumina até mesmo com o mero pensamento de atingir uma meta significativa. A atividade pré-frontal esquerda também está associada a algo maior do que qualquer alvo isolado: esse é um senso de propósito na vida, os grandes objetivos que dão significado à nossa existência.

Howard Gardner escreveu sobre o que ele chama "Bom Trabalho", uma combinação de excelência, em que você está fazendo trabalho que requer seus melhores talentos; de compromisso, em que você é entusiasta, animado e adora o que faz; e de ética, em que o trabalho está alinhado com seu senso de propósito, significado, e aonde você quer ir na vida. Ninguém fez esta pesquisa ainda, mas eu prediria que se você estudasse os cérebros de pessoas enquanto estão empenhadas no bom trabalho encontraria relativamente mais ativação pré-frontal esquerda.

Quando eu era estudante da graduação em Harvard, meu mentor era um psicólogo chamado David McClelland, que na época era um destacado teórico da motivação. McClelland propôs três principais motivadores para as pessoas (há outros modelos de motivação que listam dúzias de motivadores). Penso em cada tipo de motivação como uma diferente via para ativar o córtex pré-frontal esquerdo e os centros de recompensa do cérebro, via que aumenta nosso ímpeto e persistência, e nos faz sentir bem.

A primeira das três motivações é a necessidade de poder, no sentido de influenciar e impactar outras pessoas. McClelland distinguiu entre dois tipos de poder. Um é egoísta, poder centrado no ego, sem se importar se o impacto é bom ou mau — o tipo de poder exibido pelos narcisistas, por exemplo. O outro é um poder socialmente benéfico, no qual se obtém prazer em influenciar pessoas para o melhor ou para o bem comum.

A segunda é a necessidade de se associar; ter prazer em estar com pessoas. Aqueles que se destacam neste motivo de associação, por exemplo, são motivados pelo puro prazer de fazer coisas em conjunto com pessoas de quem gostam. Quando se trabalha para um bem comum, as pessoas motivadas pela associação encontram energia no fato de que todos vão se sentir bem quando atingirem essa meta. Ótimos membros de equipe podem ser impulsionados pela motivação da associação.

E depois há a necessidade de realização, alcançar uma meta plena de sentido. Os que são fortes na necessidade de realização adoram ficar de olho nos resultados, obter um retorno sobre como estão se portando, quer isso represente apenas atingir os números para uma meta trimestral ou arrecadar milhões para caridade. Pessoas que são fortes no ímpeto de realização lutam continuamente para melhorar; são aprendizes implacáveis.

Não importa o quão bem estejam hoje, não estão satisfeitos com o *status quo*; estão sempre tentando fazer melhor.

Pode haver um lado negativo no ímpeto da realização: algumas pessoas tornam-se trabalhadoras compulsivas, completamente centradas em suas metas de trabalho, negligenciando viver em plenitude. Você pode ver isso em estudantes muito aplicados, que querem obter as notas mais elevadas com o sacrifício de todo o resto em suas vidas, como se pode ver naqueles executivos bem-sucedidos que trabalham 18 horas por dia ao longo de toda a semana — e em qualquer um que tenha padrões perfeccionistas. A chave para um ímpeto saudável no sentido da realização é ter um padrão interno de desempenho muito alto ao qual se prender — mas se esse padrão é alto demais, você deixa de apreciar suas realizações porque está obcecado quanto a qualquer pequena imperfeição. É a marcha de realizar transformada em sobremarcha.

Ao rever seu desempenho em qualquer coisa, os perfeccionistas apenas se concentram naquilo que poderiam ter feito melhor, não no que fizerem bem. Já podem estar em 110% comparados a outras pessoas, mas estão loucamente tentando obter 112% ou 115%. Esse esforço é hoje grandemente recompensado, tanto no sistema educacional como no mundo do trabalho. Mas isso tem um custo humano, seja para uma criança na escola ou alguém no local de trabalho: sua vida sofre. O preço que você paga pode ser numa série de relacionamentos fracassados, ou nunca reservar tempo para coisas de que se gosta, ou os custos na saúde por estresse crônico.

Como ajudar pessoas que estão presas a esse dilema? Penso que, primeiramente, você tem de ajudá-las a entender que há um lado negativo em tentar ser totalmente bem-sucedido. Segundo, é lhes apontar que não têm de chegar a 110% o tempo todo — às vezes, estar apenas a 80% ou 90% significa estar bem o suficiente — e que também podem ter uma vida e usufruir dela.

McClelland descobriu que se pode classificar as pessoas em seu nível de motivação de realização com um simples jogo infantil: o jogo da argola. Nesse jogo você escolhe onde colocar um pino no chão diante de você — um metro, 2, 3, 4 metros. Você tem um anel de plástico e tem de ver se consegue acertar no pino — quanto mais longe estiver, mais pontos ganha. Pessoas que têm grande necessidade de realização são muito boas em adivinhar até que distância conseguem colocar o pino e ainda encaixar o anel nele. Correm riscos calculados. Podem fazer coisas que parecem muito arriscadas para outras, mas fizeram a pesquisa correta e têm as informações, ou especializaram-se no know-how pertinente, as habilidades que conhecem as ajudarão a atingir essa meta.

McClelland descobriu que essa característica era muito forte em empresários altamente bem-sucedidos.

Lembro-me de que há alguns anos eu estava participando de um fórum empresarial em um painel com jovens entusiastas por tecnologia, e cada um deles administrava uma empresa recém-formada. Uma se chamava Razorfish, compradora de espaços publicitários interativos nesta coisa recente então chamada "web". Todos estavam entusiasmados com a Razorfish na época — que era o começo da bolha da internet dos anos 1990 — e essa empresa novata estava ganhando valor de mercado bem rapidamente. Naquele momento a Razorfish tinha uma enorme fatia do mercado, a qual evaporou quando a bolha estourou. Desde então, já foi comprada e vendida algumas vezes ao longo dos anos.

Contudo, eu estava mais intrigado com o outro jovem empresário de tecnologia desse painel, cuja nova empresa estava então tendo menos atenção que a Razorfish. Quando conversei com ele, percebi que ele era um exemplo clássico do perfil de McClelland de um empresário com elevado estímulo: parecia ter prazer em aprender continuamente para melhorar o desempenho, e quando ainda na faculdade havia se tornado um perito em matemática arcana, que compreendia algoritmos ultra-avançados que poucos entendiam, mas que tinham poderosas aplicações potenciais na internet. Ele estava assumindo o que parecia aos outros um enorme risco em sua empresa recém-fundada construída em torno da aplicação de um método não testado e pouco conhecido — mas tinha grande confiança de que daria certo. Tinha feito bem o dever de casa. Poucos tinham ouvido falar de seu pequeno negócio, e eu só me lembrei dele por causa do nome engraçado. A empresa chamava-se "Google", e seu nome era Sergei Brin.

Desempenho ótimo

A relação entre estresse e desempenho é conhecida na psicologia há cerca de um século. É chamada de lei de Yerkes-Dodson. Embora os psicólogos Yerkes e Dodson não o pudessem saber há cem anos, estavam de fato rastreando os impactos do eixo HPA, o circuito que secreta hormônios do estresse quando a amígdala é acionada.

Esta é uma maneira diferente de pensar sobre como o cérebro opera para auxiliar ou perturbar nosso desempenho — seja no trabalho, na aprendizagem, num esporte, em qualquer campo da habilidade. Há três estados principais representados na lei de Yerkes-Dodson: ócio, fluxo e esgotamento. Todos têm impactos poderosos na capacidade de uma pessoa desempenhar da melhor forma: ócio e esgotamento torpedeiam nossos esforços, enquanto o fluxo permite que se elevem.

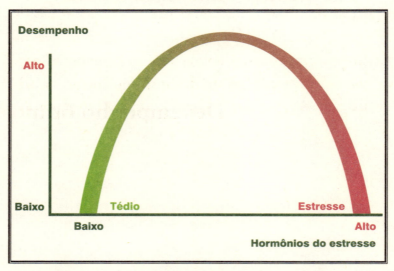

O impacto do estímulo do estresse sobre o desempenho

A relação entre estresse e desempenho, captada na lei de Yerkes-Dodson, mostra que o tédio e a ociosidade disparam muito pouco dos hormônios de estresse secretados pelo eixo HPA — e o desempenho fica para trás. Conforme ficamos mais motivados e empenhados, o "bom estresse" leva-nos à zona ótima, na qual temos o melhor nível de desempenho. Se os desafios ficarem grandes demais e ficarmos esgotados, entramos na zona de exaustão, onde os níveis de hormônios de estresse ficam altos demais e dificultam o desempenho.

Ociosidade

Os locais de trabalho pelo mundo inteiro estão repletos de pessoas presas ao ócio: estão entediadas com seus trabalhos, sem inspiração e desinteressadas. Têm pouca ou nenhuma motivação para darem seu melhor, e só fazem o suficiente para manter o emprego. Estudos sobre o empenho dos empregados revelam que nas organizações de maior desempenho há dez vezes mais funcionários totalmente empenhados do que desinteressados, ao passo que em organizações de desempenho médio há somente dois empregados empenhados para cada um dos desinteressados.[17] Funcionários empenhados são mais produtivos, dão mais atenção aos clientes e são mais leais à organização.

Conforme nos deslocamos do tédio para a zona ótima na curva do desempenho, o cérebro aciona níveis crescentes de hormônios de estresse, e entramos na área de "estresse bom", na qual nosso desempenho se recupera. Os desafios — como ficar motivado para alcançar uma meta, ou ser convocado para exibir nossas melhores capacidades, ou para uma competição de equipe visando cumprir um prazo limite — concentram nossa atenção e extraem o melhor de nós no trabalho em questão. O bom estresse deixa-nos empenhados, entusiasmados e motivados, e mobiliza a quantidade certa de cortisol e adrenalina, os hormônios de estresse — junto com químicos cerebrais benéficos como a dopamina —, para se fazer o trabalho com eficácia. Ambos o cortisol e a adrenalina têm impactos protetores e prejudiciais, e o estresse bom mobiliza seus benefícios.

Esgotamento

Mas quando as exigências se tornam grandes demais para darmos conta delas, quando a pressão nos oprime — muito para fazer com muito pouco tempo ou apoio —, entramos na zona do estresse ruim. Logo acima da zona ótima no topo da curva do desempenho há um ponto mais alto onde o cérebro secreta demasiados hormônios de estresse, e eles começam a interferir em nossa capacidade de trabalhar bem, aprender, inovar, escutar e planejar de forma eficaz.

Os custos do estresse crônico vão bem além do desempenho. Nesta zona, o que é tecnicamente chamado de "carga alostática" significa que os efeitos prejudiciais dos hormônios do estresse predominam. Níveis demasiado elevados desses hormônios durante um período longo demais deixam a função neuroendócrina fora de forma e criam desequilíbrios nos sistemas imunológico e nervoso — portanto, ficamos mais suscetíveis à doença e temos dificuldade em pensar com clareza. Nosso relógio biológico fica confuso e dormimos mal.

Muito antes de eu ter ouvido falar do eixo HPA, em meus tempos de estudante, minha tese de doutorado documentava isso. Eu mensurava a fisiologia das pessoas — monitorando o batimento cardíaco e a taxa da transpiração — enquanto elas assistiam a um filme que fora feito para inspirar lenhadores a usar dispositivos de segurança. Há três acidentes retratados nesse filme, cada acidente resultado da falha do lenhador em usar um dispositivo de segurança. No primeiro acidente pode ver-se Mack empurrando um enorme pedaço de madeira compensada para uma gigantesca serra circular com assustadores dentes pontudos — e sem ter colocado o dispositivo de segurança. Seu polegar vai em direção à serra. Mas Mack está falando com seu colega, George, e não percebe. Quando o polegar de Mack está se aproximando da serra a apreensão aumenta, conforme eu pude ver pelo batimento cardíaco e taxa de transpiração das pessoas assistindo ao filme. Eu sabia exatamente quando o polegar atingia a serra vendo as leituras de saída de impulsos aumentando, enquanto a amígdala ficava em sobremarcha.

Assim que o acidente terminava, os batimentos cardíacos e a transpiração diminuíam quando as pessoas começavam a se recompor. Mas então o próximo acidente acontecia, e, como não haviam se recuperado o suficiente, sua reatividade subiria ainda mais durante o segundo acidente. Quando acontecia o terceiro, literalmente as leituras saltavam fora do quadro — nesses tempos usávamos caneta e papel, algo como um polígrafo — e a agulha voava para fora do papel.

Essa é a anatomia de um dia ruim. Essa reação de estresse crescente é o que acontece internamente naqueles dias em que você dorme além da conta porque seu alarme não disparou e irá chegar atrasado para uma reunião importante. Depois os filhos não cooperam ou você discute com o marido ou a esposa, e sai de casa perturbado e irritado. Então seu carro não dá partida, uma coisa frustrante atrás de outra — e tudo isso ainda antes de você chegar ao trabalho. Seus hormônios do estresse estão a mil.

Esse cenário corresponde a confusões contínuas, uma das causas clássicas de carga alostática, a qual, caso se torne um traço crônico em nossa vida, pode deixar-nos mais suscetíveis à doença. Os cientistas acham que ter que enfrentar repetidamente uma gama de diferentes eventos estressantes fará isso. Assim também será com uma fonte crônica de estresse — como um colega de trabalho rude — à qual nunca nos ajustamos. Outra causa é quando ficamos ruminando sobre coisas que nos perturbam — por exemplo, acordar no meio da noite pensando nela — e assim fracassamos em baixar o volume da resposta do estresse.[18]

Cientistas que estudam a estimulação do HPA acreditam que uma das maneiras mais seguras de fazer disparar cortisol e adrenalina é a simulação de uma candidatura a emprego da vida real. Às pessoas desempregadas é dito que podem obter instruções sobre como se candidatarem a um emprego. Elas vão a um laboratório de psicologia e têm sua fisiologia medida enquanto passam pelo que pensam ser um método de entrevista para emprego. Na verdade, a pessoa com quem estão falando é um cúmplice do experimentador, que começa por dar um retorno negativo não verbal, como expressões de desagrado, quando o candidato começa a falar, e depois prossegue fazendo ao pobre pretendente críticas diretas. Compreensivelmente, isso ativa com segurança aquele eixo HPA. Gerentes e supervisores deveriam estar conscientes de que isso pode ser o que acontece às pessoas se se focarem somente no que fizeram de errado, em vez de em como podem melhorar e de no que fizeram bem.

No máximo de emissão de hormônios do estresse, entra-se no estado de ficar oprimido, o qual debilita grandemente nossas capacidades cognitivas — por exemplo, o desempenho em matemática e linguagem pode cair 50%. Quando irritado, você responde de uma maneira rígida, inflexível. Não consegue se adaptar a novas situações. Não consegue se concentrar — facilmente se distrai.

Estar cronicamente oprimido pode danificar o hipocampo, o qual é crucial na aprendizagem: é aí que as memórias de curto prazo, como o que acabamos de ouvir ou ler, são convertidas em memórias de longo prazo, de maneira que possamos recordá-las posteriormente. O hipocampo é extraordinariamente rico em receptores de cortisol, por isso nossa capacidade de aprendizado é muito vulnerável ao estresse. Se tivermos estresse constante em nossas vidas, esse fluxo de cortisol de fato desconecta as redes neurais existentes; podemos ter perda de memória. Esse tipo de perda extrema de memória tem sido visto em condições clínicas como transtorno de estresse pós-traumático e depressão extrema.

Pesquisas mais recentes revelam como os efeitos biológicos desse estresse ruim põem de muitas maneiras nossa saúde em perigo.[19] Há um aumento na gordura abdominal e a resistência à insulina dispara. O corpo torna-se mais propenso a diabetes, doenças coronárias e bloqueio de artérias. A eficácia do sistema imunológico cai verticalmente. O cortisol degrada o revestimento da mielina que cobre as vias dos nervos, debilitando a transmissão de sinais de uma área do cérebro para outra. Em suma, os efeitos neurais, cognitivos e biológicos de estresse extremo são ainda piores do que se pensava.

Fluxo

Onde queremos estar na curva de Yerkes-Dodson é na zona de desempenho ótimo, conhecida como "fluxo" na pesquisa de Mihaly Csikszentmihalyi, na Universidade de Chicago. O fluxo representa um pico de autorregulação, a máxima subordinação de emoções ao serviço do desempenho ou da aprendizagem. No fluxo canalizamos emoções positivas em uma atividade energizada com a tarefa em questão. Nosso foco não se distrai, e sentimos uma alegria espontânea, até mesmo euforia.

O conceito de fluxo emergiu de uma pesquisa em que era pedido às pessoas para descreverem um momento em que haviam se superado e alcançado o melhor de si mesmas. As pessoas descreveram momentos em uma ampla gama de campos de especialização, desde basquetebol e balé até xadrez e cirurgia cerebral. E, independentemente da especificidade, o estado subjacente que descreveram era o mesmo.

As principais características do fluxo incluem arrebatamento, concentração inabalável; uma flexibilidade ágil em responder a desafios cambiantes; execução no auge de seu nível de perícia; e sentir prazer com o que está fazendo — indiscutível alegria. Esse último distintivo sugere fortemente que, caso fossem feitas neuroimagens nas pessoas enquanto no fluxo, poderíamos esperar ver uma notável ativação pré-frontal esquerda; se a química cerebral fosse testada, provavelmente encontraríamos níveis mais elevados de humor e desempenho realçando compostos como dopamina.

Essa zona de desempenho ótimo foi chamada de estado de harmonia neural em que as diferentes áreas do cérebro estão sincronizadas, trabalhando em conjunto. Isso também é visto como um estado de eficiência cognitiva máxima.[20] Entrar em fluxo permite que você utilize qualquer talento que tenha em níveis máximos.

As pessoas que se tornaram especialistas em algum campo e que operam no auge de sua área praticaram tipicamente um mínimo de 10 mil horas — e frequentemente têm nível internacional em seu desempenho.[21] Notavelmente, quando tais peritos estão empenhados em sua capacidade, seja ela qual for, seus níveis globais de excitação cerebral tendem a ficar mais baixos, sugerindo que para eles essa atividade particular se tornou relativamente fácil, mesmo quando no seu máximo.

Um estudo cerebral inicial sugeria que enquanto as pessoas estão no fluxo apenas as áreas cerebrais relevantes para a atividade em curso eram ativadas. Isso contrasta com o cérebro de uma pessoa que está entediada; então se vê ativação neural espalhada aleatoriamente, em vez de uma nítida delineação de atividade nas áreas relevantes à tarefa. No cérebro de uma pessoa que está estressada encontra-se muita atividade no circuito emocional que é irrelevante para a tarefa em curso e que sugere uma distração ansiosa.

Uma organização terá alto desempenho na medida em que seus empregados puderem contribuir com suas melhores capacidades com força total. Quanto mais momentos de fluxo — ou até mesmo apenas ficar na zona de compromisso e motivação — melhor. Há várias vias para o fluxo:

- Ajuste as exigências às capacidades da pessoa. Se você administra o trabalho de pessoas, tente avaliar seu nível ótimo de desafio. Se o empenho delas estiver subaproveitado, aumente o desafio de maneiras que tornem seu trabalho mais interessante — por exemplo, dando-lhes uma incumbência com mais amplitude. Se elas estiverem oprimidas, reduza a exigência e dê-lhes mais apoio (quer seja emocional ou logístico);
- Treine a competência relevante para aumentar as capacidades indo ao encontro de um nível maior de exigência;
- Intensifique as capacidades de concentração de maneira que você possa prestar mais atenção, por-

que a própria atenção é uma via para o estágio de fluxo.

Finalmente, precisamos notar quando nós — ou os outros — deixamos a zona de estresse positivo e desempenho máximo, para que possamos aplicar o remédio adequado. Há vários indicadores para se vigiar. O mais óbvio é o declínio do desempenho: você não consegue fazer a tarefa tão bem, seja qual for a medida de avaliação. Outro é a atenção dispersa, a perda de foco ou o tédio. E há mais pistas sutis que podem aparecer antes de uma diminuição de desempenho perceptível. Por exemplo, alguém que parece "desligado" comparado com a maneira como faz as coisas normalmente, ou que parece muito rígido na forma como responde em vez de considerar alternativas, ou que está irritável e facilmente se perturba — qualquer um desses indicadores pode assinalar que a ansiedade está prejudicando sua eficiência cognitiva.

A fórmula para trazer o fluxo à tona inclui um equilíbrio entre as exigências da situação e as capacidades de uma pessoa — muitas vezes o fluxo ocorre quando somos desafiados a usar nossas habilidades ao máximo. Mas onde estará esse ponto ótimo varia amplamente de pessoa para pessoa. Conversei sobre fluxo e a curva de desempenho com um piloto de jato militar. Ele me disse que aquela que seria uma zona de extremo esgotamento para a maioria das pessoas é onde os pilotos de jato entram no fluxo. Mas isso é porque para se qualificar como piloto de jato o tempo de reação tem que estar no percentil 99 — uma rapidez quase sobre-humana. "Nós funcionamos em adrenalina", disse ele, e é aí que está a diversão para eles.

Uma estratégia geral para intensificar a probabilidade de fluxo é praticar regularmente métodos que realcem a concentração e o relaxem fisiologicamente. Lide com esses métodos como faria com sua rotina de exercício físico — faça-os todos os dias, ou o máximo de dias possível. Por exemplo, gosto de meditar todas as manhãs e acho que me ajuda a ficar numa atitude mental positiva, calma e mais focada durante a maior parte do dia. Se você está num emprego extremamente estressante, pode ser bom oferecer regularmente ao cérebro e ao corpo a chance de se recuperar e relaxar. A meditação é apenas um dos muitos métodos para ficar relaxado; o ponto essencial é encontrar um de que você goste e praticá-lo regularmente.

Qualquer coisa que verdadeiramente o relaxe irá ajudar. Não quero dizer que você deva fazer exercícios enquanto está preocupado com as mínimas coisas que estejam indo mal — isso não é relaxamento. Estou me referindo a brincar com crianças, ou levar o cachorro para passear, ou ir jogar golfe, ou o que vá deixá-lo num estado relaxado. Quanto mais você conseguir quebrar o ciclo do pré-frontal direito sequestrado pela amígdala, mais livre será para ativar o circuito benéfico do córtex pré-frontal esquerdo.

Se praticar regularmente a atenção plena, por exemplo, esta maior ativação da excitação do hemisfério esquerdo parece se tornar mais proeminente com o passar do tempo — e a maior mudança parece acontecer nos primeiros meses de prática. Até agora, o ponto mais forte nesses dados sobre esta deslocação do pré-frontal direito para o esquerdo é a pesquisa que Davidson desenvolveu com Jon Kabat-Zinn na qual fizeram pessoas que tinham um trabalho de elevado nível de estresse praticarem a atenção plena. Atualmente, eles estão repetindo esse estudo para se assegurarem de que ele se replica, e para melhor entenderem as condições que facilitam os benefícios de uma prática como a atenção plena. Quantas vezes e durante quanto tempo se precisa praticar para se ver mudanças neurais ou físicas? Será que alguns tipos de pessoas se beneficiam mais do que outras? Essas são perguntas para as quais precisamos de mais pesquisas para obter resposta.

Outra questão, afora os benefícios antiestresse, é como se pode intensificar as capacidades de concentração. Concentração é uma capacidade mental, e toda capacidade pode ser intensificada pela prática. Mas com o aumento nas distrações que todos enfrentamos nos dias atuais, essa se torna uma questão essencial no local de trabalho. Quanto mais distraídos, menos eficazes nos tornamos.

Neurocientistas cognitivos como Davidson estão voltando sua atenção para métodos clássicos de meditação, os quais são, da perspectiva cognitiva, exercícios de treinamento para um foco de atenção mais incisivo. Há um grande número de métodos de meditação nas tradições espirituais europeias e asiáticas, e muitas podem ser vistas, essencialmente, como maneiras de aumentar a concentração (bem à parte de sua função espiritual). A regra cardinal de todas as técnicas de aumento da concentração é focar em A e sempre que a mente divaga para o tópico B ou C, D, E, F, e você percebe que divagou, é trazê-la novamente para A. Todas as vezes que você traz a mente em divagação para um estado de concentração, está intensificando o músculo da concentração. É como estar num aparelho de musculação fazendo repetições para um músculo, só que você está fortalecendo um músculo da mente: a atenção.

O cérebro social

"Mindsight" (Visão da mente) é o termo que o doutor Daniel Siegel, diretor do Mindsight Institute na UCLA (Universidade da Califórnia em Los Angeles), usa para a capacidade que a mente tem de ver a si mesma. Seu trabalho notável constrói um caso consistente de que o circuito cerebral que usamos para o autodomínio e para conhecermos a nós próprios é em grande parte idêntico ao que usamos para conhecer outra pessoa.[22] Em outras palavras, nossa consciência da realidade interna de outra pessoa e da nossa são, num certo sentido, ambas atos de empatia. Siegel, um grande amigo e pioneiro científico, é fundador de um novo campo, neurobiologia interpessoal, que só surgiu em anos recentes, quando a ciência descobriu o cérebro social.

O cérebro social inclui um grande número de circuitos, todos projetados para nos harmonizarmos e interagirmos com o cérebro de outra pessoa. O cérebro social é uma descoberta relativamente recente em neurociência porque, desde seu início, a pesquisa cerebral estudava apenas um cérebro em um corpo de uma pessoa. Somente nos últimos cinco a dez anos se começou a estudar dois cérebros em dois corpos de duas pessoas enquanto interagem — e isso abriu uma vasta panóplia de descobertas.

Uma descoberta essencial foram os "neurônios-espelho", que atuam mais ou menos como um *wi-fi* neural para se conectarem com outro cérebro. Há várias histórias sobre como foram descobertos. A que gosto tem a ver com um laboratório na Itália onde estavam mapeando o córtex motor em macacos, a parte do cérebro que move o corpo. Estavam mensurando neurônios isolados, um de cada vez, e estavam vendo neurônios que faziam apenas uma coisa e nunca se iluminavam quando o macaco fazia algo diferente. Um dia, estavam olhando uma célula no cérebro do macaco que somente se iluminava quando ele erguia o braço, e foram surpreendidos por ver que a célula cerebral estava se iluminando, mas que o macaco não tinha se mexido.

Então perceberam o que estava acontecendo: era um dia quente e um assistente do laboratório tinha saído para buscar um sorvete. Ele estava diante daquela jaula e todas as vezes que erguia um braço para lamber o sorvete o neurônio do macaco para fazer a mesma coisa se iluminava.

Agora percebemos que o cérebro humano está salpicado de neurônios-espelho e que eles ativam em nós exatamente o que vemos na outra pessoa: suas emoções, seus movimentos e até suas intenções.[23]

Essa descoberta pode explicar por que emoções são contagiosas. Sabemos desse contágio em psicologia há décadas devido a experimentos em que se coloca dois estranhos em um laboratório e se pede que preencham uma lista sobre seus humores. Depois se sentam em silêncio, olhando um para o outro durante dois minutos. Em seguida, preenchem a mesma lista. A pessoa da dupla mais expressiva emocionalmente irá transmitir suas emoções para a outra pessoa nesses dois minutos silenciosos.

Mas como isso acontecia exatamente era um enigma. Os psicólogos se perguntavam qual seria o mecanismo de contágio. Agora sabemos: é feito com neurônios-espelho (e outras áreas como a ínsula, que mapeia as sensações através do corpo), por meio do que equivale a uma conexão cérebro a cérebro. Esse canal subterrâneo significa que há um subtexto emocional em qualquer uma das nossas interações que é extremamente importante ao que quer que esteja acontecendo.

Por exemplo, considere um estudo em que foi dado às pessoas retorno sobre seu desempenho — algum negativo, algum positivo. Se lhes era dado retorno negativo com um tom muito amistoso, positivo e otimista, elas saíam se sentindo bem animadas quanto à interação. Se lhes era dado retorno positivo num tom muito frio, crítico e avaliador, saíam se sentindo desanimadas, mesmo com um retorno positivo. Portanto, o subtexto emocional é de muitas formas mais poderoso do que a interação manifesta e ostensiva que temos.

Isso significa que, na essência, estamos constantemente impactando os estados cerebrais de outras pessoas. Em meu modelo de IE, "gerenciar relacionamentos" significa, neste nível, que somos responsáveis por como moldamos os sentimentos daqueles com quem interagimos — para melhor ou pior. Nesse sentido, capacidades de relacionamento têm a ver com gerenciar estados cerebrais em outras pessoas.

Isso levanta uma questão. Quem emite as emoções que passam entre as pessoas, e quem as recebe? Uma resposta, para grupos de pares, é que o emissor tende a ser a pessoa mais emocionalmente expressiva no grupo. Mas em grupos onde há diferenças de poder — na sala de aula, no trabalho, geralmente em organizações — é a pessoa mais poderosa o emissor emocional, ditando o estado emocional para o resto do grupo.

Em qualquer grupo humano, as pessoas prestam mais atenção ao — e colocam mais importância no — que a pessoa mais poderosa nesse grupo diz ou faz. Há muitos estudos que mostram, por exemplo, que, se o líder de uma equipe está num ânimo positivo, espalha uma disposição otimista para os outros e essa positividade coletiva otimiza o desempenho do grupo. Se o líder projeta um humor negativo, que se espalha da mesma maneira, o desempenho do grupo sofre. Isso foi encontrado em grupos tomando decisões de negócio, buscando soluções criativas — até mesmo montando uma barraca juntos.

Tal contágio emocional acontece sempre que as pessoas interagem, seja em dupla, num grupo ou em uma organização. Fica mais óbvio num evento esportivo ou numa peça teatral, em que a multidão inteira atravessa uma emoção idêntica ao mesmo tempo. Este contágio pode acontecer por causa de nosso cérebro social, por intermédio de um circuito como o sistema neural espelho. O contágio emocional de pessoa para pessoa opera automaticamente, instantaneamente, inconscientemente e fora de nosso controle intencional.

Houve um estudo feito no Hospital Geral de Massachusetts, na Faculdade de Medicina de Harvard, de médicos e pacientes durante uma sessão de psicoterapia. A interação foi filmada e gravada e sua fisiologia foi monitorada. Depois, os pacientes reviram o vídeo, identificando momentos em que sentiram que o médico teve empatia com eles — quando se sentiram escutados e compreendidos, em harmonia com o médico, versus sentirem-se realmente desconectados, pensando: "Meu médico não me entende, não se importa comigo." Nesses momentos em que os pacientes se sentiram desconectados, também não havia qualquer conexão em sua fisiologia. Mas nos momentos em que o paciente diz: "Sim, senti uma verdadeira ligação com o médico", suas fisiologias se moveram juntas, como em uma dança. Também havia um entrosamento fisiológico, com os batimentos cardíacos do médico e do paciente em uníssono.

Esse estudo reflete a fisiologia da empatia. Há três ingredientes para a empatia.[24] O primeiro é prestar atenção. Ambas as pessoas precisam se sintonizar plenamente com a outra, deixando as distrações de lado. O segundo é estar não verbalmente em sincronia. Se duas pessoas estão realmente se conectando bem, e se você fosse observar essa interação sem prestar atenção ao que elas estão dizendo (como ver um filme sem trilha sonora), você veria que seus movimentos seriam quase que coreografados, como uma dança. Tal sincronia é orquestrada por outro conjunto de neurônios, chamados osciladores, que regulam como o nosso corpo se move em relação a outro (ou qualquer objeto).[25]

O terceiro ingrediente da empatia é o sentimento positivo. É um tipo de microfluxo, um êxtase interpessoal — parto do princípio de que a pesquisa cerebral encontraria a excitação pré-frontal esquerda em ambas as pessoas. Esses momentos de química interpessoal, ou agradáveis, são quando as coisas estão correndo absolutamente bem — independentemente da especificidade do que estejamos fazendo juntos.

Um artigo na *Harvard Business Review* chama a esse tipo de interação um "momento humano".[26] Como você tem um momento humano no trabalho? Você tem que pôr de lado o que está fazendo e prestar completa atenção à pessoa que está com você. E isso abre o caminho para a empatia, em que o fluxo emocional está em uníssono. Quando sua fisiologia está em sincronia com alguém, você se sente conectado, íntimo e confortável. Você pode ler esse momento humano em termos de fisiologia — mas também pode ler de forma experiencial, porque durante esses momentos de química nos sentimos bem por estarmos com a outra pessoa. E essa pessoa está se sentindo bem por estar conosco.

O cérebro social on-line

A natureza desenhou o cérebro social para interações cara a cara — não para o mundo on-line. Portanto, como os cérebros sociais interagem quando estamos sentados olhando para o monitor em vez de diretamente para outra pessoa? Tivemos uma pista fundamental sobre os problemas com essa interface desde o início da internet, bem lá atrás, quando eram somente cientistas enviando e-mails no que era chamado Arpanet. Essa pista é a iluminação. Iluminação acontece quando alguém está um pouco perturbado — ou muito — e, com sua amígdala em firme controle, furiosamente digita uma mensagem e clica no "enviar" antes de pensar nisso — e esse sequestro atinge a outra pessoa em sua caixa de mensagens. Agora, o termo mais técnico para iluminação é "ciberdesinibição", porque percebemos que a separação entre o cérebro social e o monitor liberta a amígdala do usual gerenciamento pelas áreas pré-frontais mais razoáveis.

A dinâmica neural por trás da iluminação é que o cérebro social não tem qualquer feedback on-line: exceto quando se está numa teleconferência ao vivo, cara a cara, o circuito social não tem qualquer input. Ele não sabe como a outra pessoa está reagindo por isso não consegue guiar nossa resposta — não pode dizer: "faça isto, não faça aquilo" — como faz automática e instantaneamente nas interações cara a cara. Em vez de agir como um radar social, o cérebro social nada diz — e isso liberta a amígdala para se iluminar se estivermos sendo sequestrados.

Até uma chamada telefônica dá a esses circuitos amplas sugestões emocionais pelo tom de voz para se entender a nuance emocional do que você diz. Mas um e-mail, por exemplo, carece de todos esses inputs de informação.

Recentemente, eu estava falando com um consultor na Europa requisitado por duas empresas de tecnologia que tinham uma aliança de trabalho para desenvolverem conjuntamente uma nova linha de produtos. Havia dois grupos de engenheiros, cada um em seu próprio edifício em diferentes partes da cidade. Eles não se encontravam, apenas enviavam e-mails. E isso gerou guerras incendiárias. O projeto não chegava a lugar algum. Portanto, o que o consultor fez? Pôs os dois grupos juntos por dois dias, fora do ambiente de trabalho simplesmente para se conhecerem pessoalmente.

Uma razão por que essa conexão pessoal tanto importa para a comunicação on-line tem a ver com a interface cérebro social/monitor.

Quando estamos em nosso teclado e consideramos uma mensagem positiva, e clicamos no "enviar", o que não percebemos no nível neural é que todas as sugestões não verbais — expressão facial, tom de voz, gestos etc. — ficam conosco. Há uma propensão negativa no e-mail: quando o emissor acredita que um e-mail foi positivo, o receptor tende a vê-lo como neutro. Quando o emissor acredita que ele é neutro, o receptor tende a interpretá-lo como negativo. A grande exceção é quando você conhece bem a pessoa: esse vínculo ultrapassa a propensão negativa.

Clay Shirky, que estuda redes sociais e internet na Universidade de Nova York, contou-me um exemplo de uma equipe de segurança que tinha que operar 24 horas por dia. Ele disse que, para operarem bem, era crítico que usassem o modelo que ele chama de figueira, no qual membros-chave de cada grupo se reuniam e encontravam com membros-chave de todos os outros grupos, de modo que numa emergência conseguissem contatar uns aos outros e ter clareza em como avaliar a mensagem que cada grupo estivesse enviando. Se alguém do grupo receptor conhece bem essa pessoa, ou tem ali um contato em que pode perguntar sobre a pessoa que enviou a mensagem, então o grupo receptor pode avaliar melhor o quanto pode confiar nela.

Uma enorme vantagem da internet, claro, é o que você pode chamar de "cérebro 2.0". Como Shirky destaca, o potencial que as redes sociais têm de multiplicarem nosso capital intelectual é enorme.[27] É uma espécie de supercérebro, o cérebro ampliado na internet.

O termo "QI grupal" refere-se à soma total dos melhores talentos de cada pessoa numa equipe, ou num grupo, com uma contribuição em plena força. Acontece que um fator que deixa o QI grupal com menos que seu potencial é a falta de harmonia interpessoal no grupo. Vanessa Druskat, na Universidade de New Hampshire, estudou o que ela chama "QE grupal" — coisas como ser capaz de trazer à tona e resolver conflitos entre o grupo, níveis elevados de confiança e entendimento mútuo. Sua pesquisa demonstra que grupos com inteligência emocional coletiva mais elevada têm melhor desempenho.

Quando se aplica isso a grupos trabalhando juntos on-line, um princípio de operação fundamental é que quanto mais canais chegam ao cérebro social mais facilmente sintonizado você poderá estar. Assim, se estiver numa videoconferência, você tem sinais visuais, corporais e de voz. Mesmo se for uma teleconferência é extraordinariamente rica em sinais emocionais. De qualquer maneira, trabalhar juntos apenas por meio de texto é melhor quando se conhece bem a outra pessoa, ou pelo menos se tem alguma percepção dela a fim de ter um contexto para ler suas mensagens, assim você consegue ultrapassar a propensão à negatividade. E o melhor de tudo é deixar seu escritório ou cubículo e se encontrar para conversar com a pessoa.

As variedades da empatia

A capacidade essencial na consciência social é a empatia — sentir o que os outros estão pensando e sentindo, sem que eles nos digam em palavras. Estamos continuamente enviando sinais aos outros sobre nossos sentimentos por meio do tom de voz, da expressão facial, dos gestos e numerosos outros canais não verbais. As pessoas variam grandemente em sua habilidade para ler esses sinais.

Há três tipos de empatia. Uma é a empatia cognitiva: eu sei como você vê as coisas; posso entender sua perspectiva. Aqueles que são excelentes no gerenciamento desse tipo de empatia são capazes de obter melhor desempenho do que o esperado dos funcionários, porque conseguem pôr as coisas de maneira que as pessoas possam entender — e isso as motiva. E executivos com grande empatia cognitiva funcionam melhor em cargos no exterior, porque captam mais rapidamente as normas não verbalizadas de uma cultura diferente.

Um segundo tipo é empatia emocional: eu sinto com você. Essa é a base da empatia e química. Pessoas que são excelentes em empatia emocional dão bons conselheiros, professores, gestores de clientes e líderes de grupo por causa de sua capacidade para sentir no momento como os outros estão reagindo.

E o terceiro tipo é a preocupação empática: sinto que você precisa de alguma ajuda e, espontaneamente, estou pronto a prestá-la. Aqueles que têm preocupação empática são os bons cidadãos num grupo, numa organização ou numa comunidade, que voluntariamente auxiliam conforme necessário.

Empatia é a peça de edificação essencial para a compaixão. Temos que sentir o que a outra pessoa está atravessando, o que está sentindo, de modo a despertar a compaixão em nós. Há um espectro que vai desde a total autoabsorção (em que não reparamos nas outras pessoas) até notá-las e começar a sintonizar, a ter empatia, a entender suas necessidades e ter uma preocupação empática — e depois vem a ação compassiva, em que as ajudamos.

Diferentes variedades de empatia parecem depender de distintos circuitos do cérebro. A empatia emocional, por exemplo, tem sido estudada por Tania Singer, uma neurocientista do Instituto Max Planck, na Alemanha.[28] Singer vê o papel da ínsula como essencial para a empatia (lembre-se de que a ínsula foi uma das áreas neurais identificadas como cruciais para a inteligência emocional). A ínsula sente sinais de todo o nosso corpo. Quando estamos tendo empatia com alguém, nossos neurônios-espelho imitam dentro de nós o estado daquela pessoa. A área anterior da ínsula lê aquele padrão e nos diz que estado é esse.

Singer acha que ler emoções nos outros significa, no nível do cérebro, primeiro ler essas emoções em nós mesmos; a ínsula se ilumina quando sintonizamos com nossas próprias sensações.[29] Ela fez estudos com ressonância magnética em casais, por exemplo, em que um parceiro vai levar um choque e o outro vai assistir. No momento do choque, a parte do cérebro do parceiro que assiste se ilumina na mesma região que se iluminaria se fosse ele a levar o choque.

Paul Ekman, o perito mundial em expressão facial de emoções, é o cientista em que o seriado televisivo *Lie to Me* se baseou; o personagem principal desvenda crimes detectando como as pessoas realmente se sentem em vez de se basear no que elas estão tentando projetar. Ele detecta suas mentiras por intermédio de sutis "vazamentos" não verbais de seus verdadeiros sentimentos. Ekman concebeu um programa de treinamento (que parece apontar para este circuito neurônio espelhado-ínsula) que nos permite ler expressões faciais que lampejam no rosto da pessoa em apenas um quinto de segundo, rápido demais para que as detectemos conscientemente. Por meio desse programa de treinamento as pessoas podem melhorar o reconhecimento de emoções fugidias — mas reveladoras — no rosto de outras pessoas, e podem aprender isso em cerca de uma hora.

Para desenvolver maiores capacidades de empatia, um caminho seria passar pelo treinamento de Ekman. Mas para desenvolver empatia cognitiva, obter retorno sobre o que a outra pessoa está verdadeiramente pensando seria o caminho recomendado — para verificar ou corrigir seus palpites. Outro método para estimular a empatia faz as pessoas assistirem a um vídeo ou filme sem som e adivinharem as emoções sendo exibidas na tela, checando seus palpites com os reais. Em outras palavras, dar aos circuitos neurais retorno de empatia sobre como a outra pessoa realmente se sente ou pensa ajuda esse circuito a aprender.

Diferenças de gênero

Há muitos estudos de diferenças de gênero na IE, mas, para resumi-las, em média as mulheres tendem a ter melhor pontuação em inteligência emocional do que os homens — mas somente em média, e há dados conflitantes sobre isso.

Uma advertência: quando se fala de diferença de gênero no campo comportamental está se falando de amplamente sobrepor curvas de sino de capacidade. Por exemplo, uma capacidade em que as mulheres constantemente demonstram uma vantagem é em empatia emocional — mas isso não significa que um determinado homem não possa ser tão emocionalmente empático quanto a mais empática das mulheres. As capacidades que tendem a ser maiores nos homens normalmente têm a ver com autodomínio emocional — mas, novamente, isso não significa que uma mulher não possa ser tão emocionalmente autorregulada quanto o mais equilibrado dos homens. É simplesmente quando estamos nos referindo a diferenças estatísticas que as tendências de grupo surgem.

A neurocientista Tania Singer tem novos dados sobre o cérebro que informam essas tendências. Ela estava observando dois sistemas emocionais, um para a empatia cognitiva e outro para a empatia emocional. Singer diz que as mulheres tendem a ser mais altamente desenvolvidas no sistema de neurônios-espelho e, portanto, se apoiam nele mais do que fazem os homens em busca de sinais de empatia. Os homens, por contraste, tendem a ter uma manifestação repentina do sistema de neurônios-espelho e depois entram num modo de resolução de problemas.

Há outra maneira de olhar para as diferenças homem-mulher em IE. Este é o trabalho de Simon Baron-Cohen, na Universidade de Cambridge, que diz que há um "cérebro feminino" extremo que tem imensa atividade de neurônios-espelho e é elevado em empatia emocional — mas não tão bom na análise de sistemas. Em contraste, o "cérebro masculino" extremo se sobressai no pensamento sobre sistemas e não é bom em empatia emocional.[30] Esses tipos de cérebro são os extremos opostos de uma curva de sino, com a maioria de nós em algum lugar do meio. No entanto, ele não quer dizer que todos os homens têm o "cérebro masculino", nem que todas as mulheres, o "cérebro feminino". Muitas mulheres são peritas no pensamento sistemático, e muitos homens, excelentes na empatia emocional.

Minha colega Ruth Malloy, do Hay Group em Boston, observou as diferenças de gênero no Inventário de Competências Emocionais e Sociais (que eu coprojetei). Sua análise revelou que embora no geral se encontrem diferenças de gênero entre as várias competências, quando se olha para o conjunto de realizadores ao mais alto nível (pessoas no topo, entre os 10% do desempenho empresarial) essas diferenças se diluem. Os homens são tão bons quanto as mulheres, as mulheres, quanto os homens, de maneira geral.

Isso me faz lembrar uma observação feita por Frans de Waal, um cientista que estuda o comportamento primata no Yerkes National Primate Center, em Atlanta. Ele descobriu que quando um chimpanzé vê outro em apuros — seja por um ferimento ou uma perda de status social — o primeiro imita o comportamento do chimpanzé aflito, uma forma primária de empatia. Muitos chimpanzés, então, se aproximam do outro e lhe oferecem algum consolo, por exemplo, lhe dando tapinhas para acalmá-lo. As fêmeas dos chimpanzés oferecem com mais frequência esse tipo de consolo do que os machos — com uma exceção intrigante: os machos alfa, que são os líderes do grupo, dão consolo ainda mais vezes do que as fêmeas. Uma das funções básicas de um líder, parece, é oferecer apoio emocional adequado.

O lado obscuro

Os psicólogos usam a expressão "a tríade negra" para se referirem a narcisistas, maquiavélicos e sociopatas. Esses tipos representam o lado obscuro da inteligência emocional: essas pessoas podem ser muito boas em empatia cognitiva, mas carecem de empatia emocional — para não mencionar preocupação empática. Por exemplo, por definição um psicopata definitivamente não se importa com as consequências humanas de sua mentira ou manipulação e não sente quaisquer remorsos por infligir crueldade. Quaisquer de seus sentimentos são muito superficiais; neuroimagens revelam um estreitamento das áreas que conectam os centros emocionais ao córtex pré-frontal. Seus déficits particulares mapeiam muitos aspectos das capacidades da inteligência emocional.[31]

Sociopatia
Déficits no circuito de inteligência emocional

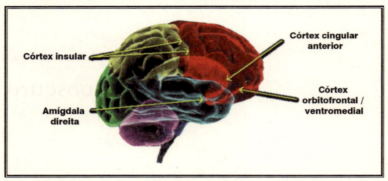

O cérebro do sociopata

Os sociopatas têm déficits em diversas áreas essenciais para a inteligência emocional: o córtex cingular anterior, o córtex orbitofrontal, a amígdala e a ínsula, e na conectividade dessas regiões com outras partes do cérebro.

Embora os sociopatas extremos sejam conhecidos pelos seus crimes a sangue-frio, os tipos subclínicos de sociopatas são reconhecíveis na vida organizacional. Um é o intimidador, o chefe que bajula o de cima e agride os de baixo, que pode ser bastante encantador para os superiores, mas agressivo com quem se reporta diretamente a ele e um tirano mesquinho em geral. Outro é o fraudador, um autêntico ardiloso (considere Bernie Madoff*). E o terceiro, de uma forma moderada, é o aproveitador personificado na tira de humor *Dilbert*, o Wally, o cara que está sempre segurando uma xícara de café e nunca trabalha um mínimo que seja.

---

* Megaestelionatário americano conhecido por ter aplicado o maior golpe da história financeira. (N. da E.)

Desenvolvendo a inteligência emocional

Finalmente, gostaria de rever as implicações de todo o antecedente para o coaching e aumento das capacidades de inteligência emocional.

Você poderá ter escutado que nascemos com uma enorme quantidade de células cerebrais e que depois as perdemos uniformemente até morrer. Agora, as boas notícias: isso é neuromitologia.

O novo entendimento é o que é chamado de "neurogênese": todos os dias o cérebro gera 10 mil células-tronco que se dividem em duas. Uma torna-se uma linha filiada que continua fabricando células-tronco, e a outra migra para onde quer que seja necessária no cérebro e se transforma nesse tipo de célula. Muitas vezes, essa destinação é onde a célula é necessária para novo aprendizado.

Ao longo dos quatro meses posteriores, essa nova célula forma cerca de 10 mil conexões com outras para criar um novo circuito neural.

A informação mais avançada no mapeamento disso sairá de laboratórios como o de Richard Davidson, que tenham poder de computação massivo, porque novas e inovadoras ferramentas de software para neuroimagem podem agora rastrear e mostrar essa nova conectividade no nível da célula individual.

A neurogênese adiciona poder ao nosso entendimento da neuroplasticidade, de que o cérebro continuamente se renova de acordo com as experiências que temos. Se estivermos aprendendo um novo movimento em golfe, esse circuito irá atrair conexões e neurônios. Se estivermos alterando um hábito — digamos, tentando melhorar como ouvinte —, então esse circuito irá crescer de acordo.

Por outro lado, quando tentamos abandonar um mau hábito, estamos enfrentando a resistência de um circuito para algo que praticamos e repetimos milhares de vezes. Portanto, quais são as lições cerebrais para o coaching, ou para trabalharmos por conta própria a fim de intensificar uma capacidade da inteligência emocional?

Primeiro, empenhe-se. Mobilize o poder motivador nas áreas pré-frontais esquerdas. Se você é um coach, tem de comprometer as pessoas, entusiasmá-las em alcançar a meta da mudança.

Ajude-as a evocarem seus sonhos, suas visões para elas mesmas, onde elas querem estar no futuro. Então trabalhe a partir de onde estão agora naquilo que podem melhorar para ajudá-las a chegar aonde querem.

Se puder, neste ponto é útil obter um retorno informativo de 360 graus sobre as competências da inteligência emocional. É melhor usar um instrumento que meça as capacidades de inteligência emocional e que permita a você pedir às pessoas cujas opiniões valoriza para o classificarem anonimamente em comportamentos específicos que reflitam as competências de executores e líderes ao mais alto nível.[32] Um consultor treinado pode ajudá-lo a usar esse feedback para determinar com quais competências você mais se beneficiaria ao fortalecê-las.

O passo seguinte é tornar-se muito prático: não assuma tentar aprender demasiado de uma vez só. Operacionalize sua meta no nível de um comportamento específico. Torne-a prática, de modo que saiba exatamente o que fazer e quando. Por exemplo, digamos que alguém tenha a "síndrome do Blackberry": o hábito ruim de realizar multitarefas e essencialmente ignorar os outros, o que corrói a atenção plena que pode levar à empatia e boa química. Você tem que acabar com o hábito da multitarefa. Portanto, a pessoa pode engendrar um aprendizado intencional que diz algo como: em todas as oportunidades que aconteçam com naturalidade — digamos, quando uma pessoa entra no seu escritório, ou você aborda uma pessoa — você desliga seu celular, se afasta do computador, desliga seu devaneio ou preocupação e presta atenção total. Isso lhe dá um exemplo preciso de comportamento para tentar mudar.

Portanto, o que irá ajudar nisso? Notar quando um momento como esse está prestes a acontecer e fazer a coisa certa. Fazer a coisa errada é um hábito em que você se tornou um mestre de nível olímpico — seu circuito neural fez disso uma opção-padrão, o que você faz automaticamente. A conectividade neural para isso é forte. Quando você começa a formar o novo e melhor hábito, está essencialmente criando novos circuitos que compitam com seu velho hábito numa espécie de darwinismo neural. Para fortalecer suficientemente o novo hábito, você tem que usar o poder da neuroplasticidade — tem que fazê-lo repetidamente.

Se persistir no melhor hábito, esse novo circuito se conectará e se tornará cada vez mais poderoso, até que um dia você fará a coisa certa sem hesitação. Isso significa que o circuito se tornou tão conectado e sólido que essa passou a ser a nova opção-padrão do cérebro. Com essa mudança no cérebro, o melhor hábito se tornará sua escolha automática.

Durante quanto tempo e quantas vezes um ato tem que ser repetido até que se torne de fato inerente? Um hábito torna-se inerente quando você o pratica pela primeira vez. Quanto mais você o pratica, mais conectividade ele tem. Com que frequência você tem que repeti-lo de modo que se torne a nova opção-padrão do cérebro depende em parte de quão forte é o velho hábito que irá ser substituído. Normalmente, leva três a seis meses de uso de todas as oportunidades de prática ocorridas naturalmente antes que o novo hábito se torne mais natural que o antigo.

Outra oportunidade de prática pode ocorrer sempre que você tenha um pouco de tempo livre: ensaio mental. O ensaio mental ativa o mesmo circuito neural que a atividade real. É por isso que os atletas olímpicos passam a baixa temporada repetindo seus gestos no cérebro — porque isso também conta como tempo de prática. Aumentará sua capacidade de desempenho quando o momento real chegar.

Richard Boyatzis usou esse método com seus estudantes de MBA durante anos na Faculdade de Administração Weatherhead, na Universidade Case Western Reserve. E ele acompanhou esses estudantes em seus empregos durante sete anos — e descobriu que as competências que haviam se intensificado em suas aulas eram ainda classificadas como fortes pelos seus colegas de trabalho.

Aprendizagem emocional social

Quando uma empresa global estudou seus funcionários de nível mais elevado, descobriu que os talentos da inteligência emocional que fizeram deles executivos notáveis tinham começado a emergir muito cedo. Por exemplo, uma excelente líder de equipe tinha começado a praticar essas capacidades quando ainda estava no ensino médio. Sua família tinha se mudado para uma nova cidade, e ela achou que poderia fazer novas amizades entrando num time. Entrou para um time de hóquei sobre a grama.

Acontece que ela não era assim tão boa no jogo, mas era extraordinária em mostrar aos novatos no esporte como se jogava. Então, tornou-se assistente do treinador. Assim que saiu da faculdade, arranjou um trabalho como representante de vendas de medicamentos. Ninguém lhe mostrou como fazer uma visita sem marcar hora num consultório médico, mas assim que pegou o jeito começou a mostrar a novos representantes de vendas como se fazia. E ficou tão boa nisso que a empresa fez um vídeo com ela e passou a usá-lo com todos os novos representantes de vendas.

Portanto, as capacidades de inteligência emocional começam em nossos primeiros anos e se desenvolvem naturalmente no currículo da vida. Se precisamos melhorar em uma coisa ou outra, podemos fazer isso a qualquer momento. Mas por que não dar a toda criança uma vantagem inicial nessas habilidades na vida? É por isso que defendo o movimento no que é chamado de "aprendizagem social/emocional", ou SEL, programas escolares que ensinam todo o espectro das capacidades de inteligência emocional. Os melhores programas vão do jardim de infância ao ensino médio, e ensinam essas habilidades em qualquer idade de um modo adequado de desenvolvimento.

Todas as capacidades de inteligência emocional se desenvolvem no currículo da vida, a partir da infância — mas o SEL dá a cada criança uma oportunidade igual de dominá-las. É por isso que enquanto eu escrevia *Inteligência emocional* também cofundei o Collaborative for Academic, Social and Emotional Learning, o CASEL [Colaborador para aprendizagem acadêmica, social e emocional], em Yale (agora na Universidade de Illinois em Chicago).[33]

O cérebro é o último órgão do corpo a amadurecer anatomicamente. Quando se vê, de ano para ano, as mudanças em como uma criança pensa, se comporta e reage — os estágios que as crianças atravessam —, o que realmente se vê é como seu cérebro está se desenvolvendo. Por exemplo, no que concerne à criatividade, as crianças são fabulosamente abertas e imaginativas — particularmente as crianças pequenas. Mas há dois estágios no crescimento do cérebro que alteram isso. O primeiro é chamado de "passagem dos 5 para os 7 anos", em que o circuito emocional fica sob um controle pré-frontal mais forte. Portanto, as crianças ficam mais capazes de controlar seus impulsos e de coordenarem seus esforços imaginativos — sem falar que ficam mais bem-comportadas.

O segundo ponto de referência é na puberdade, quando o cérebro da criança atravessa uma "moldagem" radical, perdendo neurônios que não são muito utilizados. Isso pode fazê-las perder um pouco da capacidade de serem fantasticamente imaginativas. Na verdade, nascemos com muito mais neurônios do que aqueles que usamos mais tarde na vida, e o essencial é lhes dar uso ou deixar de tê-los (no entanto, como disse antes, isso não é o mesmo que uma constante deterioração ao longo da vida — a neurogênese ainda cria novos neurônios diariamente, durante toda a vida).

Os programas de Aprendizagem Social Emocional são concebidos para dar às crianças as lições neurais de que elas precisam conforme seu cérebro cresce — é esse o significado de "modo adequado de desenvolvimento".

Visitei uma escola média da área pobre da cidade, onde há muito mau comportamento dentro e fora das salas de aula, muita delinquência e muito crime adolescente.

Mas também há um programa SEL. Na parede de todas as salas de aula há uma imagem de um semáforo com suas luzes vermelha, amarela e verde. E diz assim: "Quando você começar a ficar irritado, lembre-se do semáforo. Luz vermelha, pare! Acalme-se e pense antes de agir."

O que isso está ensinando? "Pare" é inibição comportamental: ative o circuito pré-frontal esquerdo que pode controlar os impulsos da amígdala. "Acalme-se" mostra que você pode mudar seu estado para melhor. E "pense antes de agir" lhe ensina uma lição crítica: você não consegue controlar o que vai sentir, mas consegue decidir o que fazer a seguir. Depois, "luz amarela" — pense numa gama de coisas que poderia fazer e quais seriam as consequências, e escolha a melhor alternativa. E "luz verde": tente e veja o que acontece. Isso é incutido nas crianças. E esse tipo de lição, junto com todas as outras do programa SEL, de fato dá resultado. O vice-reitor disse-me que desde que o programa SEL começou, há alguns anos, o número de garotos que é mandado a sua sala por causa de brigas está diminuindo constantemente.

Um estudo de Roger Weissberg, o psicólogo que dirige o CASEL, observou duzentos programas SEL comparados com escolas que não os tinham, envolvendo um total de 270 mil estudantes.³⁴ Ele descobriu que, em média, os programas SEL reduzem o comportamento antissocial, como o mau comportamento nas salas de aula, brigas ou uso de drogas, em cerca de 10%. E eles intensificam o comportamento pró-social — gostar da escola, melhorar frequência, prestar atenção nas aulas etc. — em cerca de 10%. E os maiores ganhos são observados nas escolas que mais precisam.

Mas a grande surpresa na compensação pelo aprendizado social e emocional é esta: os resultados dos testes acadêmicos sobem 11%. Por que seria isso? Desconfio que tenha a ver, em larga medida, com como a excitação do eixo HPA interfere na eficiência cognitiva e aprendizagem. Se você é uma criança dominada pelo aborrecimento, pela raiva, angústia, ansiedade, ou qual for a causa de estresse em você, terá uma capacidade diminuída em prestar atenção ao que o professor está lhe dizendo. Mas se você conseguir controlar essas perturbações emocionais, sua memória ativa — ou seja, a capacidade de atenção para absorver informação — aumenta. E o SEL lhe ensina como administrar esses sentimentos destrutivos — não somente por meio de lições como a do semáforo, mas por intermédio de aprender como conviver melhor com outras crianças (uma fonte fundamental desses sentimentos turbulentos). E isso faz com que você seja um melhor aprendiz.

E, claro, se você for um adulto no trabalho, este conjunto idêntico de capacidades irá lhe permitir melhor desempenho. E nunca é tarde demais para desenvolver forças adicionais em inteligência emocional.

Notas

1. Peter Salovey e John Mayer. "Emotional Intelligence: Imagination, Cognition, and Personality" [Inteligência emocional: imaginação, cognição e personalidade], nº 9, p. 185-211, 1990.
2. Reuven Bar-On et al, "The Bar-On model of emotional intelligence: a valid, robust and applicable EI model", *Organizations & People*, nº 14, p. 27-34, 2007.
3. Para uma visão geral na área: <http://www.eiconsortium.org/reports/what_is_emotional_intelligence.html>.
4. Howard Gardner. *Frames of Mind*. Nova York: Basic Books, 1983. [*Estruturas da mente*. Tradução Sandra Costa, Porto Alegre: Artes Médicas, 1994.]

5   Reuven Bar-On et al. "Exploring the neurological substrate of emotional and social intelligence" [Explorando o substrato neurológico das inteligências emocional e social]. *Brain*, nº 126, p. 1790-1800, 2003; Bechara et al. "The anatomy of emotional intelligence and the implications for educating people to be emotionally intelligent" [A anatomia da inteligência emocional e as implicações de se educar as pessoas a serem emocionalmente inteligentes]. In: Reuven Bar-On et al (Eds.) *Educating People to be Emotionally Intelligent.* Westport, CT: Praeger, p. 273-90. [*Manual de inteligência emocional.* Tradução Ronaldo Cataldo Costa, Porto Alegre: Artes Médicas, 2002.]

6   Sobre IE no cérebro, ver Taki, T.H. et al. "Regional gray matter density associated with emotional intelligence: Evidence from voxel-based morphometry" [Densidade da massa cinzenta regional associada a inteligência emocional], *Human Brain Mapping* [Mapeamento do cérebro humano], ago. 2010. Disponível em: <http://www.ncbi.nlm.nih.gov/pubmed/20140644>.

7   Sobre emoção e cognição em escolhas boas e más, ver Bechara et al. "Emotion, decision-making, and the orbitofrontal cortex" [Emoção, tomada de decisão e o córtex orbitofrontal], *Cereb Cortex*, nº 10, v. 3, p. 295-307, 2000.

8   Ver, por exemplo, Squire, Larry. "Memory systems of the brain: a brief history and current perspective" [Sistemas da memória do cérebro: uma breve histó-

ria e atual perspectiva], *Neurobiol Learn Mem*, nº 82, v. 3, p. 171-177, 2004.

9 David R. Caruso e Peter Salovey, *The Emotionally Intelligent Manager*. São Francisco: Jossey-Bass, 2004. [*Liderança com inteligência emocional*. Tradução Roger Maioli dos Santos, São Paulo: M. Books, 2006.]

10 Ap Dijksterhuis et al. "On making the right choice: The deliberation-without-attention effect" [Sobre fazer a escolha certa: a deliberação sem efeito de atenção], *Science*.

11 Cinco gatilhos emocionais comuns: Tony Schwartz, *The Way We're Working Isn't Working: The Four Forgotten Needs that Energize Great Performance* [A maneira como estamos trabalhando não é trabalhar: as quarto necessidades esquecidas que energizam a grande performance]. Nova York: Simon & Schuster, 2010.

12 *Setpoint* (Posição básica): R. J. Davidson e W. Irwin, "The functional neuroanatomy of emotion and affective style" [A neuroanoatomia funcional da emoção e do estilo afetivo], *Trends in Cognitive Neuroscience*, nº 3, p. 11-21, 1999. No entanto, não há uma relação de substituição entre direito e esquerdo: ambos os lados da área pré-frontal são ativos até algum grau durante sequestros da amígdala, assim como na sua regulação. Ver, por exemplo, A. R. Aron et al. "Inhibition and the right inferior frontal cortex" [Inibição e o córtex direito inferior frontal], *Trends in Cognitive Sciences*, nº 8, v. 4, p. 170-177, 2004.

13 Barbara Frederickson, *Positivity*. Nova York: Crown Publishers, 2009. [*Positividade*. Tradução Pedro Libanio, Rio de Janeiro: Rocco, 2009.]
14 Daniel Siegel, *The Mindful Brain*. Nova York: W. W. Norton, 2007. [*A mente em desenvolvimento*.Lisboa: Instituto Piaget, 2004. Tradução Aurora Narciso Rosa.]
15 Richard Davidson et al., "Alterations in brain and immune function produced by mindfulness meditation" [Alterações no cérebro e função imune produzidas por atenção plena], *Psychosomatic Medicine*, nº 65, p. 564-570, 2003.
16 Tentar intervir no cérebro por meios externos, como psicofarmacologia, significa que você está apontando para um resultado, mas com uma substância química que tem uma multidão de impactos no cérebro — então você tem muitos efeitos colaterais. Por exemplo, uma classe principal de medicamentos para depressão regula o sistema de serotonina no cérebro — mas apenas cerca de 5% dos receptores de serotonina do corpo estão no cérebro. Uma percentagem muito grande está no trato gastrointestinal, razão pela qual os efeitos secundários comuns envolvem problemas com a digestão. O trato gastrointestinal, por sua vez, ajuda a regular o sistema imunitário, entre outros, por isso esses efeitos secundários podem se ramificar. Há algumas aplicações-piloto de resposta neural promissoras em que as pessoas fazem neuroimagem e obtêm informação ime-

diata sobre quando estão num estado cerebral desejável, e podem então experimentar ver o que pode mantê-las aí. Mas ainda não entendemos quais são os benefícios ou limites da resposta neural. Minha propensão é para intervenções mais naturais, pois o cérebro é a massa mais complicada e densamente lotada e interconectada que conhecemos no universo.

17 Empenhado versus desinteressado: The Gallup Organization, <http://www.gallup.com/consulting/52/employee-engagement.aspx>.

18 McEwen, B. S. (2000) "Allostasis and allostatic load: implications for neuropsychopharmacology", *Neuropsychopharmacology*, nº 22, v. 2, p. 108-24, 2000. doi:10.1016/S0893— 133X(99)00129-3.

19 Sobre estresse e saúde: Bruce McEwen, *The End of Stress as We Know It*. Washington, DC: Joseph Henry Press, 2002. [*O fim do estresse*. Tradução Laura Coimbra, Rio de Janeiro: Nova Fronteira, 2003.]

20 Sobre eficiência cognitiva: Damásio, António. "Sub-cortical and cortical brain activity during the feeling of self-generated emotions" [Atividade cerebral subcortical e cortical durante a sensação de emoções autogeradas], *Nature Neuroscience*, nº 3, p. 1049-1056, 2002.

21 Sobre maestria: Ericsson, K. Anders. "The search for general abilities and basic capacities: Theoretical implications from the modifiability and complexity of mechanisms mediating expert performance" [A busca

por habilidades gerais e capacidades básicas: implicações teóricas da modificabilidade e complexidade dos mecanismos mediando o desempenho perito]. In: Robert Sternberg; Elena Grigorenko (Eds.). *The Psychology of Abilities, Expertise, and Competencies* [A psicologia de habilidades, expertise e competências]. Nova York: Cambridge University Press, 2003.

22 Siegel, Daniel. *The Mindful Brain*. Nova York: Norton, 2007.

23 Há debate entre os neurocientistas sobre quão disseminados no cérebro humano são os neurônios-espelho. Alguns dizem que eles estão concentrados no córtex motor, enquanto outros sustentam que estão amplamente distribuídos entre áreas cerebrais.

24 Três ingredientes de empatia: Linda Tickle-Degnan e Robert Rosenthal. "The Nature of Rapport and its Nonverbal Correlates" [A natureza da empatia e seu correlato não verbal], *Psychological Inquiry*, nº 1, v. 4, p. 285-93, 1990.

25 Osciladores: R. Port e T. VanGelder, *Mind as Motion: Explorations in the Dynamics of Cognition* [Mente como moção: explorações nas dinâmicas da cognição]. Cambridge Mass: MIT Press, 1995.

26 Momento humano: Edward Hallowell, "The Human Moment at Work" [O momento humano no trabalho], *Harvard Business Review*, 1º de jan., 1999.

27 Clay Shirky, *Here Comes Everybody*. Nova York: Penguin Press, 2008. [*Lá vem todo mundo*. Tradução Ma-

ria Luiza X. de A. Borges, Rio de Janeiro: Zahar, 2012.]
28 C. Lamm e T. Singer, "The role of anterior insular cortex in social emotions" [O papel do córtex insular anterior nas emoções sociais], *Brain Structure & Function*, nº 241, v. 5-6, p. 579-951, 2010.
29 Tania Singer et al. "A common role of insula in feelings, empathy and uncertainty" [Um papel comum da ínsula em sentimentos, empatia e incerteza], *Trends in Cognitive Sciences*, nº 13, v. 8, p. 334-340, 2009. Singer sugere que a via para a empatia emocional parece ser por meio da ínsula em sintonia com os neurônios-espelho; esta avenida cria química interpessoal e empatia. Mas no que concerne à empatia cognitiva, deveríamos esperar ver um maior papel das áreas corticais, a parte pensante do cérebro. Quanto à preocupação empática, parto do princípio de que estejam envolvidos os mesmos circuitos que subjazem à empatia emocional, junto com alguns nas áreas pré-motrizes ou motrizes que impulsionam a ação.
30 Simon Baron-Cohen. *The Essential Difference: Men, Women and the Extreme Male Brain*. Londres: Allen Lane, 2003. [*Diferença essencial*. Tradução Neuza Capelo, Rio de Janeiro: Objetiva, 2004.]
31 Sobre o cérebro dos sociopatas: Damásio, António. "A Neural Basis for Sociopathy" [Uma base neural para a sociopatia], *Archives of General Psychiatry*, nº 57, p. 128-129, 2000.

32 Richard Boyatzis e eu, trabalhando com o Hay Group, concebemos uma ferramenta de avaliação chamada de Inventário de Competência Emocional e Social, ou ESCI-360. Para obter informação sobre o ESCI: <http://www.haygroup.com/leadershipandtalentondemand/Products/Item_Details.aspx?ItemID=58&type=5>.

33 Para saber mais sobre aprendizagem social/emocional, veja: Collaborative for Academic and Social Learning. Disponível em <www.CASEL.org>.

34 Sobre a avaliação do SEL: Joseph Durlak et al. "The Impact of Enhancing Students' Social and Emotional Learning: A Meta-analysis of School-based Universal Interventions" [O impacto de se melhorar o aprendizado social e emocional dos estudantes: uma meta-análise das intervenções universais baseadas na escola], *Child Development*, nº 82, v. 1, p. 405-432, 2011.

1ª EDIÇÃO [2012] 11 reimpressões

ESTA OBRA FOI COMPOSTA PELA ABREU'S SYSTEM EM ADOBE GARAMOND
E IMPRESSA EM OFSETE PELA LIS GRÁFICA SOBRE PAPEL PÓLEN BOLD DA
SUZANO S.A. PARA A EDITORA SCHWARCZ EM FEVEREIRO DE 2025

A marca FSC® é a garantia de que a madeira utilizada na fabricação do papel deste livro provém de florestas que foram gerenciadas de maneira ambientalmente correta, socialmente justa e economicamente viável, além de outras fontes de origem controlada.